失われた世界

アーサー・コナン・ドイル

を跋扈していたという古代
ろうか？　アマゾン
の遺品の中から、
ブックが
だ唯一
生物だっ
たので
にその名を
とどろかす
教授は、論敵
の学者、冒険家、新
記者からなる調査
隊を率いて、“失われた世界”を求め勇躍アマゾン探険におもむいた。ＳＦとミステリの巨匠コナン・ドイルが描く、不朽の名作“ロスト・ワールド”。初出誌〈ストランド・マガジン〉の挿絵を再録。

登場人物

ジョージ・エドワード・チャレンジャー教授
……動物学者、アマゾン調査隊長
サマリー教授……………比較解剖学者
ジョン・ロクストン卿……探検家
エドワード・D・マローン……〈ガゼット〉紙の記者、本書の語り手
ザンボ、ゴメス、マヌエル……雇われた使用人たち
メープル・ホワイト……失われた世界の発見者。故人

失われた世界

アーサー・コナン・ドイル
中　原　尚　哉　訳

創元ＳＦ文庫

THE LOST WORLD

by

Arthur Conan Doyle

1912

挿画：ハリー・ラウンツリー

目次

これは単純な構想から書き上げたものだ
なかば大人の少年となかば少年の大人に
ひととき楽しんでもらえれば望外である

E・D・マローン氏から以下の表明があった。G・E・チャレンジャー教授から出されていた出版差し止めと名誉毀損の訴えはいずれも全面的に撤回された。本書における批判と批評は悪意によるものでないことを教授は納得し、その出版と流通をさまたげないと保証した。

左より、マローン、サマリー教授、チャレンジャー教授、
ロクストン卿。（撮影：ウィリアム・ランズフォード）

失われた世界

1　英雄になる機会はどこにでも

　彼女の父親のハンガートン氏はまったくの鈍瞎漢《どんかつかん》である。鳥のインコのように軽佻浮薄《けいちょうふはく》で粗放《そほう》な性格。悪気《わるぎ》はないらしいが愚かで自己中心的。かりに僕がグラディスのもとを去るとしたらこんな義父を持ちたくないからだろう。週三回も僕がチェスナッツ荘を訪れるのは自分との歓談が目的だと信じている。とりわけご本人は金銀複本位制の権威を自認しており、僕がその高説を拝聴《はいちょう》していると思っている。

　その夕刻も一時間以上にわたって、悪貨《あっか》は良貨を駆逐するだの銀の名目価値だのルピーの下落だの真《しん》の為替《かわせ》水準だの、無味乾燥な放談を聞かされた。

「もし世界じゅうの負債が同時に、即時に返済を迫られたら、現状でのわれわれはどうなると思うかね?」ハンガートン氏は弱虫が意気がるように声を張り上げた。

　破産するしかないでしょうねと自明な答えを申しあげると、彼は椅子を蹴るように立って僕の軽々しい態度をなじり、そんな聞き手のまえでまじめな議論はできぬと断じて部屋から出ていった。フリーメーソンの会合があるので着替えるそうである。

ようやくグラディスと二人きりになれた。そして運命のときの到来である！　その晩の僕は悲愴《ひそう》な決意で号令を待つ兵士の気分だった。勝利への期待と拒絶への恐怖が交互に脳裏に浮かぶ。

グラディスは赤いカーテンを背景に繊細で気品ある横顔を見せてすわっていた。なんと美しい！　それでいて気高《けだか》い！　彼女は友人である。親友である。しかし〈ガゼット〉の同僚記者たちとのあいだに築くような友情の域からまだ一歩も脱していない。真率《しんそつ》で思いやりに満ちているが、恋愛感情はない。僕は気安くあけっぴろげな性格の女性を本能的に好まない。男としてうれしくない。性的な気持ちがめばえたら恥じらいや不信も起きるはずだ。愛と暴力がしばしば同居していた暗黒時代の伝統である。顔をそむけ、目をそらし、口ごもり、身をよじる。視線をあわせず、答えをはぐらかす。それが熱情の真のあらわれである。僕の短い半生でもそれくらいは学んでいる。あるいは本能という名で受け継がれる種族の記憶か。

グラディスは女性らしさにあふれている。冷淡な性格と評するのははなはだ失礼だ。うっすらとブロンズ色の肌はどこか東洋的な色味がある。漆黒《しっこく》の髪に濡れた大きな瞳。厚くて形のよい唇《くちびる》。情熱の萌芽《ほうが》は充分にある。しかしまだ前面に出ていないと残念ながら認めざるをえない。それでも、どんな結果になろうと宙ぶらりんの状態にはもはや耐えられない。今夜は当たって砕けろの精神である。たとえ拒絶されても、兄として受けいれられるより恋人としてふられるほうがましだ。

そんな思考で頭がいっぱいで沈黙がぎこちなく続いた。意を決してそれを破ろうとしたとき、黒く鋭い瞳がこちらにむいた。たしなめる笑みとともに気品ある顔を左右に振る。

「求婚されそうな予感がするのですけど、おやめになって、ネッド。いまのままがいいわ」

僕は椅子をすこしばかりそばに寄せた。

「どうして僕が求婚するとわかったんだい？」純粋に驚いて尋ねた。

「女にはわかるのよ。世の中の女がだれも気づかないとお思いになって？　ともかく、ああ、ネッド、せっかく気楽で楽しい友人関係が続いていましたのに！　それをだいなしにするなんて！　若い殿方《とのがた》と若い乙女《おとめ》がこんなふうに顔をあわせてお話しできるのがどんなに素晴らしいことか、おわかりにならない？」

「わからないね、グラディス。だって顔をあわせて話すだけなら……駅長とでもできる」なぜそこで交通機関の職員を出したのか自分でもさっぱりわからないが、突拍子《とっぴょうし》のない言及に僕らは思わず笑った。「そんな相手ではちっともおもしろくないよ。僕はきみをこの腕で抱き締めたい。きみの頭をこの胸に押しあてたい。ああ、グラディス、そして……」

僕が欲望の一端《いったん》を披露《ひろう》しはじめたとたん、グラディスは飛びあがるように席を立った。

「なにもかもだいなしだわ、ネッド。素敵で自然だったのに、そんな話を持ち出すなんて。とっても残念。自制心はどこへ？」

「別段おかしなことじゃない。これが自然さ。愛だよ！」

「そう、両方に愛があればそうなのかも。でもわたしは感じない」

「でもきみは……。その美貌にその心。ああ、グラディス、きみは愛の化身だ！　愛さなくてはいけない！」

「訪れを待つことも必要よ」

「僕を愛せない理由はなんだい、グラディス？　見栄《みば》えかい？」

彼女はすこしだけ態度を軟化させた。片手を伸ばし、優雅に軽く前かがみになって、僕の額《ひたい》を軽く押す。上むきになった顔をもの憂《う》げな笑みでのぞきこんだ。

「いいえ、ちがうわ」しばらくして言った。「あなたは生まれつきの自惚《うぬぼ》れ屋さんじゃない。だからちがうと言いきれる。もっと深いところよ」

「性格？」

グラディスは重々しくうなずいた。

「どこを直せばいいんだい？　すわって話してくれ。さっきみたいなことは言わないから、どうかすわって！」

不信で迷うようすでこちらを見る。安心しきった態度よりこちらのほうが好みだ。しかしそう言ってしまうと僕がいかにも野蛮で欲望にとらわれているようだ！　そもそもこんなふうに感じるのは僕だけかもしれない。ともかくグラディスは腰を下ろした。

「さあ、僕に欠けているところを教えてくれ」

「べつの方に恋しているのよ」

今度は僕が椅子から飛びあがった。

「具体的なだれかではないわ」僕の表情を見て笑いながら説明する。「頭のなかの理想よ。そんな男性には出会ったことがないもの」

「その理想の男性について教えてくれ。見ためはどうなんだい？」

「そうね、姿はあなたによく似ているわ」

「うれしいね！　では、彼がやっていて、僕がやっていないことはなに？　端的《たんてき》に言ってほしい。絶対禁酒主義者とか、菜食主義者とか、飛行船乗りとか、神智《しんち》学者とか、超人とか。僕もそうなるよ、グラディス。きみがよろこぶ理想像を教えてくれたら」

柔軟すぎる態度に彼女は笑った。「そうね、そもそもわたしの理想の殿方はそんなことをおっしゃらないわ。もっと決然としてゆるぎない。小娘の気まぐれに調子をあわせたりしない。なにより実行力と行動力がある。死に直面しても恐れない。偉業をなし、珍《めずら》しい経験をしている。わたしは殿方自身ではなく、成し遂げられた栄光を愛するのよ。その輝きにこちらも包まれるのだから。たとえばリチャード・バートン！　その夫人が語る結婚生活を読むと愛するわけがわかるわ。そしてヘンリー・スタンリー！　夫人が夫について書いた本の素晴らしい最終章をお読みになって？　女が全身全霊をかけて崇拝できるのはああいう殿方よ。そして女は愛をもってその崇高な行動を鼓舞《こぶ》したと、夫におとらず世間から尊敬されるの」

その情熱に満ちた表情があまりに輝いているので、僕は今夜の目的をあやうく忘れるところだった。気を強くもって反論する。

「だれもがスタンリーやバートンにはなれないよ。そもそも機会がない。すくなくとも僕に機会はなかった。あれば挑戦したさ」

「機会なんてどこにでも転がっているものよ。むしろ理想の男性なら自分で機会をつくりだす。機を見たら迷わない。会ったことがなくてもわかるわ。英雄になる機会はどこにでもある。それをつかむのが男性。そんな男性に愛でむくいるのが女性よ。たとえば先週気球で飛んだ若いフランス人。その日は強風が吹いていたけど、やると発表した以上はあとには引けないと飛んだのよ。颪で二十四時間に千五百マイル（約二千四百キロメートル）も流されて、着陸したのはロシアの大地だった。そういう男性よ。彼に愛されたら他の女たちからどんなにうらやまれるかしら！　わたしもそうなりたい。男性ゆえに羨望《せんぼう》されたいの」

「きみをよろこばせるためなら、やるよ」

「わたしをよろこばせるためではなく、やむにやまれぬ欲求からやるべきよ。ごく自然に。あなたのなかの男性が英雄的発露《はつろ》を求めるの。先月のウィガン炭鉱の爆発事故についてあなたが書いた記事を読んだけど、窒息《ちっそく》性ガスを恐れずにみずから救助に飛びこもうとはなさらなかったの？」

「やったさ」

「記事には書かれてなかったわ」

「自慢するようなことではないからね」

「知らなかった。勇敢なのね」グラディスはすこし見直した顔になった。

「必要だからさ。いいネタをつかみたければ現場にはいるしかない」

「なんて月並みな動機！　感動のかけらもない。でも動機はどうあれ、率先《そっせん》して炭鉱にはいったと聞いてうれしいわ」グラディスはこちらに手をさしのべた。そんなふうに優美かつ上品にされては、かがんでその手にキスするしかない。「ありていに言って、これは愚かな女の少女っぽい幻想かもしれない。でもわたしにとってこの願いは本物だし、自分の一部。だからそれにしたがうわ。結婚するなら有名な男性と」

「当然だ！」僕は声を大にした。「きみのような女性こそが男性を奮《ふる》い立たせるんだ。機会があれば僕はそれをやってみせるよ！　でもきみの言うとおり、男はみずから機会をつくるものだ。受け身ではなく。たとえばロバート・クライブは一介の書記から立身《りっしん》してインドを征服した。大変なことだ！　僕だって世間でやれることがまだあるはずだ！」

唐突に熱狂するアイルランド気質を見て、グラディスは笑った。

「できるわ。男性がそなえるべきものはあなたにそろっている。若さ、健康、体力、教育、気力。さきほどの発言にはがっかりしたけど、いまはうれしい。そんな考えに目覚めてもらえたのなら光栄だわ」

「もし僕がそれを成し遂げたら……？」

　彼女の手が温かいベルベットのように僕の唇を押さえた。

「おっしゃらないで。本当なら三十分前に遅番《おそばん》で出社していらっしゃるはずでしょう。あえて黙っていたけど。いつか、そう、世間で確固たる地位を築かれたら、この話の続きを」

　こうして、霧《きり》にけぶる十一月の夕方にカンバーウェル線の路面電車を追いかけながら、僕は胸を熱くたぎらせていた。わが淑女にふさわしい偉業の種《たね》をみつけずに今日をすごすことはしないと決意した。しかしその種がとてつもない形になることや、奇妙な道すじで僕がそれを成し遂げることを、この広い世間でだれが予見できただろうか。

　そもそもこの第一章はあとの物語と関係ないと思う読者もいらっしゃるだろう。しかしこれなしにこの物語は成り立たない。なぜなら、英雄になる機会はどこにでもあると考え、みつけたらかならずつかむと気概《きがい》に燃えて飛び出したからこそ、日常から脱却して驚異と幽玄《ゆうげん》の大地へ渡り、かずかずの大冒険とおおいなる報酬をわがものにできた。〈デイリー・ガゼット〉の編集室ではとるにたりない記者だが、かなうなら今夜じゅうにグラディスのお眼鏡《めがね》にかなう目標をみつけたいと心中で意気ごんでいたのである！　彼女が自分の栄光のために僕に命をかけさせようとふるまったのは、きびしすぎるだろうか。利己的だろうか。しかしその考えは中年男のものであり、初恋の情熱に燃える二十三歳のそれではない。

2　チャレンジャー教授の門を叩く

マッカードルにはつねづね好感を持っている。老年で猫背で赤い禿《は》げ頭のニュース編集員で、彼には気にいられたいと思っている。もちろん本来の上司はボーモントだが、こちらは雰囲気がいささか高踏《こうとう》的である。オリュンポス山の高みから下界を睥睨《へいげい》するごとくで、国際紛争や内閣の対立より些末《さまつ》な出来事は目にはいらない。たまに歩いているところを見かけても、孤高の精神の内奥《ないおう》に沈んで視線を宙にさまよわせ、バルカン諸国やペルシャ湾情勢について思索するようす。つまり近寄りがたい。かわりにマッカードルがその右腕となっており、相談するならそちらである。オフィスにはいると、マッカードルはうなずき、つるりとした額《ひたい》に眼鏡を押し上げた。

「やあ、マローン君。最近は調子がいいようだな」やさしげなスコットランド訛《なま》りで言う。

僕は礼を述べた。

「炭鉱爆発の記事はよかった。サザークの火事のもね。描写力がある。今夜はなんの話かな？」

「お願いがあります」

マッカードルは用心深い顔になって目をそらした。

「ふむむ。どんな?」

「特派員としてどこかへ派遣してもらえないでしょうか。全力でやり遂げ、いい記事を送ります」

「派遣するといってもどこへだね、マローン君?」

「それは……冒険と危険があればどこでもかまいません。全力をつくします。困難であればあるほどやる気になります」

「まるで生きていたくないかのようだ」

「生きる意味をみつけるためです」

「いいかね、マローン君。その申し出はとても……気高《けだか》い。しかしそのような時代は過ぎ去ったのだ。〝特派員〟というやり方が好結果を生むことはもはやめったにない。派遣できるとしたら、経験豊富で大衆人気もある有名人にかぎられる。そもそも地図上に大きな空白地帯が皆無《かいむ》の現代において冒険譚《たん》が生まれる余地はないのだよ。いや、ちょっと待ちたまえ!」マッカードルはふいに笑みを浮かべる。「地図の空白地帯と言って思い出した。詐欺をあばくのはどうかね? 現代のほら吹き男爵だ。おもしろおかしく書いて、こんな大嘘つきですと大々的に記事にする。ああ、これはいけるぞ。どうだ?」

「なんでもやります。どこへでも行きます」

マッカードルは考えこんだ。

「まず取材相手と友人になることが大事だな。すくなくとも気安く話せなくてはいかん」しばらくして続けた。「きみには人と打ち解ける才能がある。共感力があるのだろう。あるいは動物的な魅力か、若さゆえの活気か。わたしでも感じる」

「ありがとうございます」

「というわけで、エンモアパークのチャレンジャー教授を訪れてみてくれないか」

僕は多少なりと驚いた顔になったはずである。

「チャレンジャーですって！」叫んだ。「有名な動物学者のチャレンジャー教授ですか！〈テレグラフ〉のブランデルの頭をかち割ったという」

ニュース編集員は暗い笑みを浮かべた。

「いやかね？　冒険を求めると言ったはずだ」

「それは仕事においてです」

「まあな。チャレンジャーでも毎度そのように暴力的ではあるまい。ブランデルは面会のタイミングが悪かったのか、服装がまずかったのだろう。きみなら首尾よく運ぶかもしれない。口八丁《くちはっちょう》は得意のはずだ。ふさわしい仕事だと思うぞ。〈ガゼット〉の利益にもかなう」

「しかし彼のことをなにも知りません。ブランデル殴打事件の警察裁判所への起訴状で名前を見ただけです」

「手がかりになる資料があるぞ、マローン君。教授のことはしばらくまえから調べていたのだ」引き出しから一枚の紙を出す。「経歴の概要だ。簡単に読んでみよう。『ジョージ・エドワード・チャレンジャー。一八六三年北ブリテン、ラーグス生まれ。学歴、ラーグス中等学校、エディンバラ大学。一八九二年、大英博物館助手。一八九三年、比較人類学部門学芸員助手。同年、激越《げきえつ》な書簡がもとで辞職。動物学研究でクレイストン賞受賞。海外会員として所属するのは――』ふむ、細かい字で二インチ（約五センチメートル）くらいあれこれ書かれているぞ。『――ベルギー協会、アメリカ科学院、ラプラタ協会などなど。古生物学会前会長、英国科学振興協会H部――』まだまだある！『――著作、〈カルムイク族頭骨《とうこつ》群に関する所見〉〈脊椎《せきつい》動物進化概論〉、さらに論文多数。〈ヴァイスマン仮説にひそむ謬見《びゅうけん》〉ではウィーン動物学会で激論を引き起こした。趣味は散歩、アルプス登山。住所は西ケンジントン、エンモアパーク』

さあ、これをやろう。今夜は以上だ」

僕はその紙をポケットにいれた。

「ちょっと待ってください」見ればマッカードルの赤ら顔はすでになく、その赤い禿げ頭だけがこちらにむいている。「この人物を取材すべき理由がいまひとつわかりません。彼はなにをやらかしたのですか？」

ふたたび赤ら顔があらわれた。

「二年前に南米へ単独調査旅行に出かけたのだよ。そして昨年帰国した。南米へ行ったのはたしかだが、具体的な場所を明かさず、曖昧《あいまい》な形で冒険譚を語りはじめた。ところが一部の者が話のあら探しをはじめたとたん、牡蠣《かき》のように口を閉ざした。よほど興味深い出来事に遭遇したのか――あるいは第一級の大嘘つきか。後者だと考えるのが普通だな。映りの悪い写真を何枚か持っているが、これも偽造という話だ。本人は不機嫌になって質問者に暴力をふるった。記者が階段下に投げ飛ばされたこともある。わたしに言わせれば、科学に傾倒するあまり殺人も辞さない誇大妄想者。それがこの人物だよ、マローン君。さあ、さっさと行って自分の目でたしかめてこい。自分の身は自分で守ること。とはいえ最後の最後は雇用者責任法があるから安心しろ」

にやりとした赤ら顔は伏せられ、生姜《しょうが》の根のような薄毛《うすげ》が周囲に生えた赤い禿げ頭にもどった。面会終了である。

僕は徒歩で〈サベージ・クラブ〉へむかった。しかし手前で道をそれて、アデルフィテラスの欄干《らんかん》にもたれて油の浮いた茶色い川面《かわも》を眺めながらしばらく思索をめぐらせた。僕の頭はいつも屋外で明晰《めいせき》に働くのである。チャレンジャー教授の業績一覧を取り出して電灯の下であらためて目を通す。すると霊感としか呼びようのない考えが下りてきた。話を聞いたかぎりでは、この気難しい教授に新聞記者として接触しようとしても成功はおぼつかない。しかしこの短い経歴中に二度も言及されている筆禍《ひっか》事件からして、熱心な科学者であることは疑いない。僕が面会を申しこんで許される余地があるとすればそこではないか。試してみよう。

僕はクラブへ行った。十一時過ぎですでに広間には人が多かったが、大混雑というほどではない。暖炉のそばの肘《ひじ》掛け椅子にすわった長身痩軀《そうく》の男が目にはいった。僕が椅子を引きずってそばへ行くと、その顔がこちらをむいた。彼こそは僕が会うべき相手――〈ネイチャー〉編集員のタープ・ヘンリーである。痩《や》せすぎで冷然とした堅物《かたぶつ》に見えるが、知人に対しては人間味あふれる男である。僕は単刀直入に尋ねた。

「チャレンジャー教授ってどんな人物だい？」

「チャレンジャーか」科学の面で承認できないというふうに眉をひそめた。「眉唾《まゆつば》物の話を南米から持ち帰った男だな」

「それはどんな話なんだい？」

「奇妙な動物を発見したとかいう鼻持ちならない戯言《ざれごと》さ。いまはなりをひそめている。すくなくとも主張はやめているよ。ロイター通信の取材を受けたが、大きな嘲笑《ちょうしょう》を浴びただけだった。まったく信用にあたいしない。真《ま》に受けた者も一人二人いたが、そんな信者も自分から追い払ってしまった」

「どういうことだい？」

「とんでもない粗暴《そぼう》さと野蛮な態度にみんなあきれたのさ。いい例が動物学協会のあわれなウォドレーだ。こんな手紙を送ったんだ。『動物学協会会長より謹《つつし》んでチャレンジャー教授へ申し上げます。わたくしどもの次回例会にご臨席いただければ光栄の至りです』と。返事はとても筆記にたえないものだった」

「では口述すれば？」

「不穏当な表現を削除すると、おおむねこんな内容だったらしい。『チャレンジャー教授より謹んで動物学協会会長殿へ申し上げます。貴殿が地獄に落ちれば光栄の至りです』」

「なんてひどい！」

「ああ、老ウォドレーもそう言ったはずさ。例会での彼の悲痛な訴えは忘れられないね。『五十年におよぶ科学界の交流においてこんな経験は――』とはじめたきり、あとは言葉にならなかった」

「チャレンジャーについてほかに知っていることは？」

「そもそもわたしの専門は細菌学なんだよ。いってみれば九百倍の顕微鏡の世界に住んでいる。肉眼で見えるものにはとんと興味がない。既知《きち》の世界の辺境を歩む開拓者なのさ。研究から離れて、きみたちのようにうすらでかくてがさつな生き物と接触すると、まったく場ちがいな感じがしてしまう。醜聞《しゅうぶん》のたぐいにも興味ない。それでもチャレンジャーの科学的な評判について聞いたかぎりでは、やはり無視すべからざる人物らしい。知性は最高水準。体力旺盛《おうせい》で気力横溢《おういつ》。しかし喧嘩《けんか》っ早く、不機嫌な気難し屋で、不謹慎なことも平気でしでかす。なにしろ南米の件では写真の偽造もいとわなかったくらいだからね」

「気むずかし屋というと具体的にどんなことで?」

「例はいくらでもある。最近のものはヴァイスマンと進化論についての一件だろう。ウィーンで大論争を起こしたらしい」

「それをかいつまんで教えてくれないか?」

「いまは無理だ。しかし議事録の翻訳がある。編集部に保管されているよ。見にくるかい?」

「願ってもない。この教授に取材することになっていて、手がかりがほしいんだ。きみの手助けがあればありがたい。夜分にすまないけど同行させてほしい」


三十分後、僕は編集部で分厚い学術資料集をまえにしていた。開いたページは〝ヴァイスマン対ダーウィン〟という記事だ。副題は〝ウィーンにおける大反論、その激論の記録〟とある。しかし僕が受けた科学教育ではまったく歯が立たず、議論の内容についていけなかった。わかるのは英国出身の教授が過激な調子で自説を主張していることと、大陸側の同僚たちがすっかり閉口《へいこう》していることだった。とりあえず目につくのは〝抗議〟〝喧々囂々《けんけんごうごう》〟〝全出席者から議長への異議〟という括弧《かっこ》付きで書かれた三カ所である。あとはまるで中国語のように明確な意味が頭にはいってこない。

「英語に翻訳してもらえると助かるんだけどね」僕は協力者の友人にあわれな調子で頼んだ。

「それが英訳だよ」

「原文を読んだほうがましかもしれない」

「一般人にはたしかに難解だろうな」

「一文でいいんだ。多少なりと人間に意味が通じる要領を得た文章が一つあれば、僕の用はたりる。ああ、これがよさそうだ。おぼろげながらも意味がとれるぞ。ここを使わせてもらおう。悪辣《あくらつ》な教授にとりいる手がかりになる」

「では、わたしはもう用ずみかな？」

「いや、まだだ。彼に手紙を書くつもりなんだ。ここの便箋《びんせん》を使って、住所も拝借させてもらえると信憑《しんぴょう》性が上がる」

「反論しに怒鳴りこまれて家具を壊されたら困る」

「いや、大丈夫。書き上がった手紙は見せるよ。議論をふっかけることは書かないと約束する」

「じゃあ、そこがわたしの机と椅子。便箋はそれだ。出すまえに検閲《けんえつ》させてもらうからな」

何度か書きなおした末に、悪くないと自画自賛できるものができあがった。その作品を批判的な細菌学者のまえで朗読してやった。

『親愛なるチャレンジャー教授。小生は自然の摂理《せつり》を謙虚に学ぶ者として、ダーウィンとヴァイスマンのちがいについての教授の推論に以前から深い興味を抱いていました。そして最近、ウィーンにおける教授のすばらしい講義記録を再読し、記憶を新たにする機会を――』

「嘘八百だな！」タープ・ヘンリーがつぶやいた。

『――機会を得ました。その明断かつ十全《じゅうぜん》なる議論により、もはや結論は出たと存じます。ただし少々気になるのが、〝個々の遺伝基質は世代をへながら徐々に形成された歴史的構造を有するミクロコズムであるという、まったく独断的で耐えがたい主張に強く反対するものである〟という一文です。最新の研究にもとづいてこの見解を修正する考えをお持ちではないでしょうか？　さすがに言いすぎたとお思いではないでしょうか？　かなうならぜひお目通りを願い、小生が深い関心をいだくこの話題について、口頭でしか伝えにくいいくつかの私見を述べさせていただきたいと希望しております。もしご了承をいただけるなら、明後日（水曜）朝十一時に訪問させていただきたいと存じます。

深い尊敬と誠意をこめて、

エドワード・D・マローン』

「どうかな？」僕は意気揚々《ようよう》と尋ねた。

「まあ、きみの良心が痛まないなら――」

「その点は心配ご無用」

「しかしそこまでするのはなんのためだい？」

「とにかくまず相手の 懐《ふところ》に飛びこむのさ。部屋にはいりさえすれば糸口はつかめる。そこまで行ったら洗いざらい白状してもかまわない。スポーツマン精神の持ち主なら愉快に笑ってくれるだろう」

「愉快に笑うだって！　とても笑えないことをされるだろうな。鎖帷子《くさりかたびら》かアメリカンフットボール用の防具をつけていったほうがいい。とにかく、今夜はここまでだ。答えは水曜朝にわかる――答えがあればな。なにしろ暴力的で危険で喧嘩好きの性格だ。かかわりを持ったあらゆる人から嫌われている。無謀にも近づいた学生もひどいめにあっている。きみにとっては返事がないほうがしあわせだろう」

3　夫はとんでもない性格なのです

友人の懸念《けねん》ないし期待はみごとにはずれた。水曜日に編集部に出むくと、はたして西ケンジントンの消印が捺《お》された手紙が届いていた。表《おもて》書きには有刺《ゆうし》鉄線の柵《さく》のごとき筆跡で僕の名前がある。内容は以下のとおり。

『エンモアパーク西にて

拝啓

手紙はたしかに受けとった。貴兄《きけい》は吾輩《わがはい》の見解を支持するとのことだが、この見解は貴兄にせよだれにせよ余人《よじん》の支持を必要とはしない。さらにダーウィン説についての論述を、貴兄はあろうことか〝推論〟と述べているが、この文脈でこのような言葉を使うのは失礼千万であることを指摘しておかねばならない。しかしながら手紙を読むかぎり、貴兄の罪は悪意ではなく無知と無礼にあるので、この点は看過《かんか》することとする。また吾輩の講演から些末《さまつ》な一文を引用して、その理解につまずいているようである。人間の知性を持つ者がこの程度の文意を汲《く》めぬことはないはずだが、どうしても補足が必要ならば、本来はいかなる訪問も面談も極力忌避《きひ》しているところであるが、今回にかぎって希望の日時に面会を承諾しよう。主張を修正するつもりはないかとの示唆《しさ》については、熟慮の見解を詳述したあとで手のひらを返すのは吾輩のやり方ではないことを述べておく。訪問にさいしてはこの手紙の封筒を下男《げなん》のオースティンに提示されたい。彼は〝新聞記者〟と称する詮索《せんさく》好きな下賤《げせん》の者どもを遠ざけるのが役割であるゆえ。

敬具

ジョージ・エドワード・チャレンジャー』

僕の奇策《きさく》の首尾を知ろうと早出《はやで》していたタープ・ヘンリーに、この手紙を読み上げてやった。その反応は、「最近の新製品にキューティクラとかいう軟膏《なんこう》があって、アルニカの生薬《しょうやく》より怪我に効《き》くらしいぞ」というかなり特殊なユーモアをまじえたものであった。

この手紙を受けとったときは十時半近かったが、タクシーを飛ばすとなんとか約束の時間にまにあった。着いたところは堂々たる前廊《ぜんろう》のある邸宅で、どの窓にも厚いカーテンがかかっていることから、この威圧的な教授がなかなか裕福であることがわかる。扉を開けたのは浅黒く乾いた肌の年齢不詳の男で、茶色い革のゲートルを履《は》き、濃い色のピージャケットをはおっている。あとで知ったところではお抱え運転手で、しばしば所在不明になる執事の代わりをつとめているらしい。それでもサーチライトのごとき青い瞳でこちらを頭から足の先まで眺めまわす。

「ご面会ですか？」

「約束がある」

「お手紙をお持ちで？」

封筒を出した。

「どうぞ!」口数の少ない男らしい。案内にしたがって廊下を歩いていると、ふいに小柄な女性に進路をさえぎられた。見れば食堂の扉から出てきたらしい。黒い瞳に強い輝きのある淑女で、イギリスというよりフランス系の顔立ちである。

「お待ちください」彼女は言った。「そこにいなさい、オースティン。お客さま、しばしこちらへ。失礼ですが、夫とこれまでにお会いになったことが?」

「いいえ、奥さま。まだその名誉に浴しておりません」

「では、まえもってお詫《わ》びしておきますわ。じつは夫はとんでもない性格なのです。本当にとんでもない。あらかじめ警告しておけば寛容に見ていただけるでしょう」

「それは深いお考えですね、奥さま」

「暴力をふるわれそうになったら、すぐ部屋から逃げてください。反論なさってはいけません。そのせいで怪我を負われた方が何人かいらっしゃいます。あとで醜聞《しゅうぶん》が広まって、わたしも家の者も恥ずかしい思いをするんです。ご用むきはまさか南米の話ではないでしょうね?」

淑女に嘘をつくわけにいかない。

「なんてこと! いちばん危険な話題ですわ。聞いても一言《いちごん》たりと信じる気にはなれないでしょう。それはたしかです。でもその考えを口に出してはいけません。暴力の引き金になります。信じているふりをしてください。そうすれば無事にすむかもしれません。なにしろ本人は信じこんでいます。それはすぐわかるでしょう。正直すぎるほどの人なんです。長居《ながい》すると疑われやすくなるのでよくありません。危険を感じたら――本当に危険だと思ったら――ベルを鳴らして、わたしが行くまで夫を押さえておいてください。癇癪《かんしゃく》を起こしたときでも、わたしが叱《しか》ればたいていおさまりますから」

そんなはげましの言葉を受けて、僕はふたたび無口なオースティンにゆだねられた。夫人とのやりとりのあいだ思慮深いブロンズ像さながらだったオースティンに案内されて、廊下のつきあたりへ。扉をノックすると室内からは牡牛《おうし》のようなうなり声がした。いよいよ教授との対面である。

教授は幅広い机のむこうの回転椅子にすわっていた。机の上は本や地図や図表でいっぱいである。僕が入室すると、椅子をまわしてむきなおった。その容貌に驚いた。風変わりな人物であろうとは予想していたものの、これほどの威容とは思わなかった。息を呑《の》むほどの巨《きょ》軀《く》。堂々たる存在感である。頭もずば抜けて大きく、人間とは思えないほど。もしもシルクハットを借りて僕がかぶったら、頭がすっぽりはいって肩に乗ってしまうだろう。顔と髭《ひげ》はアッシリアの牡牛像を連想する。顔は血色がよく、髭は黒々として青みがかっているほどだ。鋤《すき》の形で顎《あご》の下まで波打ちながら垂れている。髪型も変わっていて、曲がった長い一房《ひとふさ》が広い額《ひたい》の上に貼りついている。黒く太い眉毛の下にある灰青色《かいせいしょく》の瞳はとても澄み、批判的で威圧的である。広い両肩と樽《たる》のような胸までがテーブルの上に見えている。大きな両手は黒く長い毛におおわれている。そして吠えるように低く轟《とどろ》く声。これが悪名高きチャレンジャー教授の第一印象である。

「で、なんの用だ？」傲岸不遜《ごうがんふそん》な目でにらみつける。

僕としてはもうしばらく演技を続けるほかない。でないと会見はたちまち打ち切られるであろう。

「ご面会いただき恐縮です」僕は小さくなって封筒を差し出した。

教授は机から僕の手紙を取り出し、自分のまえに広げた。

「ああ、平易《へいい》な英語がわからんという若者か。全体的な結論には賛成ということでよかったか？」

「完全に、完全に！」僕は強く同意した。

「そうかそうか。吾輩の立場がより強固になるな。若くて身なりのよいきみからの支持はさらに価値がある。すくなくともウィーンの豚どもよりましだ。あいつらの群れ騒ぐ鳴き声など、イギリスの豚一匹の鳴き声ほどにも怖くないがな」その獣《けもの》を思わせる眼光で僕を見すえる。

「彼らの態度は言語《ごんご》道断だと思います」

「吾輩は一人で戦える。きみの共感などいささかも必要としておらん。単身かつ背水《はいすい》の陣。それがジョージ《G》・エドワード《E》・チャレンジャー《C》の戦い方だ。さて、訪問の用件をさっさとすませてくれ。こんなことはきみにとって愉快でなかろうし、こちらも面倒きわまりない。吾輩の論述において前提とした主張の一つに、きみは意見があるとのことだな」粗野《そや》なまでに単刀直入な話法によって退路を断たれた。演技を続けながら突破口を探るしかない。遠くにいるうちは簡単に思えたのに。ああ、わがアイルランド流の機転よ、助けてくれ！　今こそその助けが切実に必要なのだ！　鋼《はがね》のように鋭い双眸《そうぼう》がひたと見すえる。

「さあ、さあ！」教授は低くせかす。

「僕はこのとおり一介の学生です」間の抜けた笑みで言う。「熱心な一般の質問者ですらありません。それでもあの問題について教授はヴァイスマンに少々きびしすぎるように思うのです。あれ以後にあきらかになった証拠全般は、その……彼の立場に有利なものではないでしょうか」

「どの証拠だ？」威圧的な落ち着きぶりで問う。

「それはその、明確な証拠といえるものがないのはもちろん承知しております。申し上げたかったのは、ただ現代思想の潮流と科学の全般的な視点というようなことでして」

教授はおおいに関心をもったようすで身を乗り出してきた。

「では次のことは理解しているのだろうな――」指折りかぞえながら問う。「――頭長幅指数《とうちょうふく》が定数であること」

「もちろんです」

「先夫《せんぷ》遺伝が真偽未決であること」

「あたりまえです」

「生殖質が単為《たんい》生殖卵と異なること」

「そんなことは当然です！」自分の大胆さを誇りながら声をあげた。

「ではこれらが証明することはなんだ？」穏やかに説《と》き聞かせる声で教授は尋ねる。

「ええと、なんでしょうか。証明すること、ですか？」僕は口ごもる。

「教えてやろうか」やさしくささやく。

「お願いします」

「これらが証明するのは——」突然怒りを爆発させて吠える。「——貴様がロンドンで最悪の詐称者、うじ虫のごとく薄ぎたない新聞記者だということだ！　その頭には科学どころか品位のかけらもない！」

憤怒《ふんぬ》にたぎる目で教授は立ち上がった。そんな一触即発の場面にもかかわらず、教授が意外に短身であることが見てとれた。その頭は僕の肩にようやく届く程度である。いわば発育不良のヘラクレス。すさまじい生命力によって横幅と奥行きと脳だけが成長している。

「ただのでまかせだ！」テーブルに指をついて身を乗り出し、顔を突き出す。「さっきのはでまかせの科学用語を並べただけだ！　知恵くらべで吾輩に勝てると思ったか？　胡桃《くるみ》くらいの脳しかないくせに。ブンヤ風情が全能者を気どりおって。貴様の称賛や非難に人が一喜一憂すると思ったか？　だれもが好意的に書いてもらいたくてゴマをすると思ったか？　こっちは持ち上げ、あっちはこきおろす。腐ったうじ虫のやることだ！　分《ぶん》をわきまえろ。昔だったら耳切り刑にするところだ。増上慢《ぞうじょうまん》め、身のほどを知れ。分相応にしろ！　そうとも、このG・E・Cは貴様より上だ。支配者だ。警告したのにあえて来たのなら、どうなっても覚悟の上だろう。罰だ、マローン君。罰をあたえる！　危ない橋を渡った末に賭けに負けたのだからな！」

「待ってください」僕は出入り口へあとずさり、扉をあけた。「攻撃的になるといっても限度があります。暴力はいけません」

「なにがいけないだと？」教授は奇妙に威嚇《いかく》的な態度でそろそろと近づいていたが、ふと足を止めて、少年が着るような丈《たけ》の短い上着のサイドポケットに大きな両手を突っこんだ。「これまで貴様の仲間を何人もこの家から叩き出したことがある。貴様は四人目か五人目になるはずだ。とられた罰金は平均して三ポンド十五シリングずつ。安くはないがしかたない。さて、貴様もその仲間いりするか？　そうなるべきだな」不愉快でゆっくりした歩みを再開する。ダンス教師のように爪先を高く上げて歩く。

僕は玄関へ逃げてもよかったが、あまりに屈辱的に感じられた。それどころか小さな義憤《ぎふん》も湧いていた。僕の訪問理由は救いがたく邪《よこしま》であったが、威嚇されたせいでこちらの立場は義となった。

「手出しするなら反撃しますよ。もうがまんできませんね」

「こりゃ驚いた。きみががまんできないだと?」黒い髭が上がり、にやりと笑った口もとから白い犬歯《けんし》がのぞいた。

「ばかな真似はやめたほうが賢明ですよ、教授」僕は声を荒らげた。「僕にかなうわけがない。体重十五ストーン(約九十五キロ)の鍛えた体で、土曜日ごとにロンドンのアイルランド人ラグビーチームでセンタースリークォーターを務めてますからね。そう簡単に――」

そこで教授はつかみかかってきた。扉をあけておいたのは幸運で、閉めていたら突き破っていただろう。僕らは廊下にころげ出た。途中で椅子を巻きこみ、そのまま取っ組み合いながら表《おもて》へ移動していく。僕の口は教授の髭でふさがれ、両腕はからみ、体はもつれ、じゃまな椅子の脚があらゆる方向に突き出す。用心深いオースティンが玄関扉をあけておいたおかげで、僕らはうしろ宙返りをするように玄関下の階段をころげ落ちた。演芸場でアイルランド人の二人組芸人がこういうことをやるのを見たことがあるが、よほど練習しないと怪我しかねない。階段下で椅子は木《こ》っ端微塵《ぱみじん》になり、僕らはやっと離れて溝にはまった。教授はすぐに立ち上がり、両の拳《こぶし》を振りながら、喘鳴《ぜんめい》まじりの荒れた息をついている。

「降参か?」

「傲岸な悪党め!」僕は叫んでかまえた。

教授はまだ闘志満々だったので、その場で殴りあいになってもおかしくなかったが、幸運

にも救いの手がこの不愉快な場面にさしのべられた。一人の警官が手帳を片手に近づいてきたのである。

「なんの騒ぎだ！　どちらも恥ずかしいと思わないのか」エンモアパークで聞いたもっとも理知的な見解である。警官は僕にむいて続けた。「さあ、これはなんの騒ぎだね？」

「この人物が攻撃してきたんです」僕は言った。

「きみから攻撃したのかね？」警官は教授に尋ねた。

教授は無言で荒い息をつくばかり。

「これが初めてではないな」警官は首を振りながら重々しく言う。「先月もおなじ騒動を起こした。この若者も目に痣《あざ》ができている。被害届を出すかね？」

尋ねられた僕はためらった。

「いいえ、そのつもりはありません」

「どうして？」

「こちらにも落ち度があります。無理やり押しかけたのです。充分に警告されていたのに」

警官は手帳をぱたんと閉じた。

「こんな騒ぎは二度と起こさんように」警官は言った。「さあ、仕舞《しま》いだ！　行った、行った！」後半は物見高い肉屋の丁稚《でっち》や女中や一人二人の浮浪者に対してである。そうやって野《や》次馬《じうま》を追い払いながら、警官は靴音高く通りを去っていった。教授はこちらを見た。その目の隅にはおもしろそうなきらめきがある。

「ちょっと来い！　まだ話は終わっとらん」

口調には悪意が残っているが、それでも僕はあとに続いて屋敷にもどった。無表情を絵に描いたような下男のオースティンがうしろで玄関扉を閉めた。

4　これは世紀の大事件

扉が閉まるやいなや、食堂からチャレンジャー夫人が飛び出してきた。小柄な体で憤然《ふんぜん》としている。夫の行く手をさえぎるようすは、まるでブルドッグのまえに立ちはだかる怒った鶏《にわとり》である。僕が追い出されるところを見たものの、もどってきたのは見ていないらしい。

「なんて乱暴なの、ジョージ！　立派な若者に怪我をさせるなんて」夫人は叫んだ。

教授は親指でうしろをさした。

「そいつならうしろでぴんぴんしているぞ」

夫人は困惑したが、すぐに気をとりなおした。

「失礼しました、気づかなくて」

「僕は大丈夫ですよ、奥さま」

「かわいそうに、顔に痣《あざ》を！　ああ、ジョージ、どうしてそんなに乱暴なの！　醜聞《しゅうぶん》の種《たね》を毎週毎週。世間から陰口を叩かれ、笑いものになっているのよ。もうがまんできない。やめてください」

「また内輪の恥を」

「内輪ではありませんわ。どこの通りでも、それこそロンドンじゅうの通りで――オーステイン、あなたは退《さ》がっていなさい。とにかくあらゆる人の物笑いの種になっていますわ。威厳というものをもってください。有名大学の欽定《きんてい》講座担当教授として千人の学生の尊敬を集めてもおかしくないのに、それにふさわしい威厳はどこへいったのですか、ジョージ！」

「そういうきみの品格はどうなんだ、妻よ」

「もうがまんの限度です。あなたはごろつきとおなじです――よくいる乱暴者のごろつきになりさがってしまいました」

「落ち着け、ジェシー」

「手のつけられない乱暴者で厄介者！」

「しかたない、懺悔《ざんげ》の椅子にすわらせてやる！」

教授はそう言うと、驚いたことにしゃがんで夫人を抱え上げ、廊下の曲がり角にある黒大理石の高い台座の上にすわらせた。そこは高さ七フィート（約二・一メートル）以上あり、狭くて危なっかしい。怒りに顔をゆがませた夫人が、足を宙に浮かせ、転落の恐怖で硬直しているさまは、このうえなくおかしな見物《みもの》だった。

「下ろしてください！」夫人は泣き声で言った。

「〝お願いします〟と言え」

「乱暴者のジョージ、すぐに下ろしなさい！」

「書斎へ行こう、マローン君」

「でもこのままには――！」僕は夫人を見る。

「このとおり、マローン君も懇願《こんがん》しているんだ、ジェシー。〝お願いします〟と言えば下ろしてやる」

「本当に乱暴者！　お願いします、お願いします！」

あたかもカナリアのように夫人を抱き下ろした。

「お行儀よくしろ。マローン君は新聞記者なんだ。明日の三流紙になにもかも書かれて、ご近所で飛ぶように売れたらどうする。見出しは〝上流階級の奇妙な暮らし〟――台座の上はまさに高い場所だ。小見出しには、〝そのおかしな家庭事情《ボルクス・イクス・グレゲ・デイアボリ》〟とくるはずだ。なにしろ最悪の悪食《あくじき》なのだ、マローン君は。お仲間はみんな腐肉食《ふにくしょく》だ。悪魔の巣窟から来た豚。そうだろう、マローン？　なにか言いたいことがあるか？」

「あなたは本当に不愉快だ！」僕は憤然《ふんぜん》として言った。

教授は呵々大笑《かかたいしょう》した。

「一時的な同盟を組むことにしよう」大声で言って、夫人から僕へ目を移し、大きな胸をさらに張る。そして急に口調を変えた。「家庭内の醜態《しゅうたい》をさらして失礼した、マローン君。きみを呼びもどしたのはまじめな話があるからで、痴話《ちわ》喧嘩を見てもらうためではない。女手《おんなで》はあっちへ行っててくれ。機嫌をなおしてな」大きな手を夫人の両肩におく。「きみの指摘はいちいちもっともだ。助言を守っていれば夫はましな人物になれるだろう。しかしそれはジョージ・エドワード・チャレンジャーではない。世に好人物は多くともG・E・Cはただ一人。がまんしてくれ」そして突然、音高らかにキスした。僕は暴力を見せられるよりさらに面食らった。「さあ、マローン君」威厳を大幅に増した態度で続ける。「よければ、はいってくれたまえ」

十分前に取っ組み合いながら出てきた部屋に、ふたたびはいった。教授は静かに扉を閉めると、肘《ひじ》掛け椅子を僕にしめし、さらに葉巻《はまき》箱を鼻の下に突きつけた。

「本物のサンファン・コロラドだ。きみのように興奮しやすい性格にはよい鎮静剤になる。だめだ！　噛《か》み切るんじゃない、ナイフで切れ。丁寧に！　さあ、背中を楽にして、これから吾輩《わがはい》が話すことを注意深く聞きたまえ。質問が浮かんでも適切な時間までとっておくように。

まず最初に、きみを当然の帰結として家から放逐《ほうちく》したあと――」教授は髭《ひげ》の顎《あご》を突き出し、反論があるなら言ってみろというようすで僕を見た。「――あるいは、無理からぬ流れで放逐したあと、ふたたび招きいれたのはなぜか。理由はあのおせっかいな警官に対するきみの返答にある。そこにきみの善意の片鱗《へんりん》を見た。すくなくともきみの同業者にはついぞ見ない性質だ。出来事の責任が自分にあることを認めたのは、考えの公平さと視野の広さの証拠であり、そこに吾輩は好感を持った。不運にもきみが属する人間以下の階層がこの視界に浮上することは絶無に近いが、きみの返答は視界にはいった。注目にあたいすると思った。ゆえに家へ呼びもどしたのだ。知己《ちき》を得たいと思ってな。葉巻の灰は左の肘掛けの隣にある竹細工のテーブルの日本製の灰皿に落としてくれたまえ」

ここまでを満場の学生に講義するがごとき大声で聞かされた。教授は回転椅子をまわしてこちらにむけ、そこにウシガエルのような巨体を沈めて頭を背もたれに倒し、人を見下すように半眼《はんがん》になった。しかしやにわに横をむく。するとこちらからはもつれた髪とそこから突き出す赤い耳しか見えない。机の上の紙束の山をあさっている。ほどなく、かなり傷《いた》んだスケッチブックらしきものを片手にこちらにむきなおった。

「南米の話を聞かせてやろう。悪いが質問はご遠慮願う。まず承知してもらうのは、ここで話すこと一切は吾輩の明示的許可がないかぎり公開はまかりならんということ。そしてそのような許可を出すことは、ひらたくいってありえない。よいか？」

「それは難しいですね。慎重な判断が求められ――」

教授はスケッチブックを机にもどした。

「では話は終わりだ。ごきげんよう」

「待って、待ってください！」僕は声をあげた。「どんな条件でも呑《の》みます。状況をかんがみるに選択肢はないようだ」

「はじめからない」

「ではしかたない、約束します」

「誓うか？」

「名誉にかけて」

傲岸《ごうがん》な目に疑念を浮かべてこちらを見る。

「そもそもきみの名誉とはいかほどのものだ？」

「なんてことを！」僕は立腹して声を荒らげた。「それこそ無礼千万です！　こんな屈辱を受けたことはない」

激高する僕を、教授は閉口《へいこう》するどころかむしろ興味深げに観察している。

「頭部は丸く、短頭の部類。瞳は灰色、髪は黒。わずかに黒人の血がはいっている。ケルト人か？」

「僕はアイルランド人です」

「癇癪《かんしゃく》持ちのアイルランド人か？」

「そうです」

「とすれば説明がつくな。さてと、秘密を守ると約束してもらったが、完全にはまだ信用しきれぬ。それでも興味深い話をいくつかしてやろう。まず知ってのとおり、二年前に吾輩は南米を旅した。いずれ世界の科学史において古典的逸話《いつわ》となるはずのものだ。目的はウォレスとベイツの結論のいくつかを検証すること。それには論文に報告されている事実を、記述されているのと同条件下で観察するしかない。旅の成果がこれだけだったとしても充分に価値があった。しかしある奇妙な出来事に遭遇したことから、探求すべきまったく新しい道すじが拓《ひら》けたのだ。

きみは知っているか――あるいは半端《はんぱ》な教育水準のいまの世代では知らないかもしれないが、アマゾンの一部地域はまだ部分的にしか探検されておらぬ。本流に流れこむ支流は無数にあり、その一部は地図に描かれてさえいない。ほとんど未知のこの奥地にはいって動物相を調べた。これだけでも吾輩の畢生《ひっせい》の仕事である動物学の記念碑的大著《たいちょ》で数章を費やすくらいの材料が集まった。調査を完了した帰路の途中、小さなインディオの集落で一泊することになった。とある支流が本流に合流する地点だが、地名と位置はあえて伏せる。住民のインディオはクカマ族という。友好的だが退行した部族で、知能は平均的なロンドン市民以下だ。往路での滞在時に傷病者を何人か治療してやり、また人格者として尊敬を集めたので、復路で歓迎されたのは驚くにあたらない。彼らの身ぶり手ぶりから治療を急ぎ必要とする者がいると見えたので、首長についていって小屋の一棟《とう》にはいった。すると件《くだん》の患者はちょうどそのとき事切れた。驚いたことに、男はインディオではなく、白人だった。それも真っ白だ。亜麻《あま》色の髪やその他の特徴から先天性色素欠乏症と推測される。服は破れて体は痩《や》せ細り、長い窮乏《きゆうぼう》生活に耐えた痕跡《こんせき》があちこちに見られた。住民の説明を理解できたかぎりでは、まったく見知らぬ男であり、体力を消耗しきった状態で森の奥から一人であらわれたという。

その男のナップザックが長椅子の横におかれていたので、中身を調べてみた。内側に名札があり、ミシガン州デトロイト、レイク・アベニューのメープル・ホワイトと書かれていた。この名前には今後とも敬意を表するつもりだ。研究成果の帰属を最終的にしるすべきときには、吾輩と同列に彼の名をいれてもよいと思う。

ナップザックの中身から察するに、この男は詩趣《ししゆ》を求めて旅する画家、詩人であったようだ。詩の断片もあった。そのよしあしがわかると主張するつもりはないが、出来はいまひとつに思えた。他はよくある川の風景画、絵具箱、色チョークの箱、絵筆数本、いまそのインク壺に立てかけてある一片《いつぺん》の骨、バクスターの『蛾と蝶』、安物の回転式拳銃と弾薬数発。身のまわり品は持っていなかったのか、旅の途中でなくしたのか。以上がこの奇妙なアメリカ人放浪者の遺品のすべてだった。

去ろうとしたとき、そのほころびた上着の内側からなにかがのぞいているのに気づいた。それがこのスケッチブックだ。そのときすでにこのように傷んだ状態だった。しかし吾輩の所有物となってからは、シェイクスピアの初版全集にまさるとも劣らない貴重品として扱ってきた。それをきみに見せよう。一ページずつめくってもらいたい」

教授は葉巻に火をつけて椅子に背中を倒し、鋭く批判的な双眸《そうぼう》でこの資料がおよぼす効果を見逃すまいとしている。

僕は内容の予想がつかないまま、驚くべき発見を期待してスケッチブックを開いた。しかし最初のページには失望させられた。ピージャケットをはおった太った男の絵にすぎなかった。下には〝郵便船に乗るジミー・クローバー〟と説明書きがある。それから数ページはインディオとその暮らしの簡単なスケッチが続く。シャベル帽をかぶった陽気で太った聖職者と、むかいにすわった痩せたヨーロッパ人。説明には〝ロザリオにてフラ・クリストフェロと昼食〟とある。女と乳児の習作がしばらく続いたあとは、動物の絵の連続になった。〝砂洲《さす》で休むマナティ〟〝亀とその卵〟〝オオテングヤシの下の黒いアグーチ〟と説明がある。最後のは豚に似た動物である。見開きで描かれた大きなスケッチがあらわれた。鼻面《はなづら》の長い醜悪《しゅうあく》なトカゲの仲間が数匹。よくわからないので教授に尋ねた。

「普通のクロコダイルですよね」

「アリゲーターだ、アリゲーター。南米にクロコダイルがいるわけがない。両者のちがいは――」

「とにかく、変わったものはなさそうです。おっしゃるような発見はない」

教授はすまし顔で微笑《ほほえ》んでいる。

Maple White.

「次のページをめくってみろ」

それもとくに興味深くは思えなかった。紙面いっぱいに描かれた風景画で、おおまかに着色されている。屋外で描く画家があとで仕上げをするための下絵として手早く描いたものに見える。前景は羽毛《うもう》のような植物におおわれた地面で、ゆるやかに上った先で断崖絶壁にぶつかっている。絶壁は暗い赤を呈し、玄武岩《げんぶがん》らしい特徴的な縦の筋が見られる。この絶壁は切れめなく連なり、途中の一カ所に孤立したピラミッド状の岩山がある。頂上には一本の大木がはえている。本体の絶壁とは大きな間隙《かんげき》によって切り離されているらしい。それらの背後は青い熱帯の空である。赤みがかった絶壁の上をおおう植物が薄い緑の線で描かれている。次のページはおなじ場所をふたたび水彩で描いているが、さっきより近づき、おかげで細部が詳しい。

「どうだ？」教授が尋ねた。

「たしかに興味深い岩の形ですね。でも僕は地質学者ではないので、なにがそんなに素晴らしいのかわかりません」

「素晴らしいどころか唯一無二だ！　信じられないほどだ。地上のだれにとっても想像を絶する場所だ。次のページへ」

僕はめくって、驚きの声を漏らした。見たことのない奇怪な生き物がページ全体に描かれている。アヘン吸飲者の混乱した夢か、譫妄《せんもう》状態の妄想か。頭は雄鶏《おんどり》に似て、体は太ったト

Maple White

カゲ。長い尻尾《しっぽ》には上むきの棘《とげ》がはえ、丸い背中には縦溝のある高い板がはえている。まるで雄鶏の鶏冠《とさか》をたがいちがいに十数枚並べたようである。その生き物の正面に、奇妙な小人か神話のドワーフのような人の姿があり、立ってこれを見つめている。

「さあ、どう考える？」教授は鼻息荒く、もみ手をしながら大声で問うた。

「奇怪ですね。グロテスクです」

「どうやってこの動物を描いたと思うかね？」

「交易《こうえき》用ジンの飲みすぎかな」

「なんだ、思いつくのはそれだけか？」

「教授はどう考えるのですか？」

「もちろん、この生き物が実在する可能性を考える。見たままを写生したのだ」

僕は笑いだしそうになったが、また取っ組み合いながら通りへころがり出る図が頭に浮かんで、やめた。

「そうですね、そうかもしれない」僕は鈍物《どんぶつ》を笑うように答えた。「でもそうすると、この小さな人影が不可解です。インディオだとすると、アメリカ大陸には小人族がいるという証拠でしょうか。でも日除《ひよ》け帽をかぶっているのでヨーロッパ人のように見える」

教授は怒ったバッファローのように鼻を鳴らした。「それがきみの限界らしいな。人間の可能性がよくわかった。大脳麻痺《まひ》だ！　精神無力症だ！　たいしたものだ！」

僕を怒らせようとするのは愚行《ぐこう》である。無駄な努力だ。この人物に怒るのであれば、のべつまくなしに怒らねばならない。僕は弱々しく微笑むだけにした。

「ずいぶん小柄だと思っただけです」

「ここを見たまえ！」教授は声をあげて身を乗り出し、ソーセージのように太い指で絵の一点をさした。「この動物の背後に植物が描かれているだろう。きみの目にはタンポポや芽《め》キャベツに見えるかもしれんが、これはゾウゲヤシという植物で、樹高五十フィートから六十フィート（約十五〜十八メートル）になる。意図的に描《か》き添えられているのがわからんか？画家は実際にこの野獣の正面に立ったわけではあるまい。そんなことをしたら生きて絵を描けない。高さの目安として自分を描きこんだのだ。画家は身長五フィート（約百五十センチ）以上はある。木はその十倍の高さだ。ここまではだれでも考えられることだ」

「なんですって！」僕は叫んだ。「だとしたらこの野獣は、チャリングクロス駅を飼育小屋にしてもまだたりないほどの大きさですよ！」

「誇張表現はともかく、充分に大きく育った標本であることはまちがいない」教授は満足げに言った。

「でも、たった一枚の絵を理由に、全人類が積み重ねた経験をないがしろにはできないでしょう」僕は声をあげた。ページをめくって、スケッチブックにそれ以上なにも描かれていないことを確認する。「アメリカ人の放浪画家による一枚のスケッチなど、大麻《たいま》の吸飲中か、高熱による譫妄か、あるいはたんに奇怪な想像力を満足させるために描いたのかもしれない。科学者としてそんなものを根拠にはできないはずです」

教授は返事のかわりに書架から一冊の本を取り出した。

「これは才能豊かなわが友人、レイ・ランケスターによる素晴らしい論文だ！　このなかに興味深い挿画《そうが》がある。ああ、これだこれだ！　下には、〝ジュラ紀の恐竜ステゴサウルスの再現図。後ろ脚の高さでさえ人間の大人の二倍〟と説明されている。さて、これをどう思う？」

開いた本を渡された。挿画を見て度肝《どぎも》を抜かれた。古代の動物を再現したこの絵は、無名の画家のスケッチブックにある絵とそっくりなのである。

「たしかにすごいですね」

「これでもまだ納得せんか？」

「偶然かもしれない。あるいはこのアメリカ人はこんな再現図を過去に見て記憶していたのかもしれない。譫妄状態の頭に浮かぶことはありえます」

「よかろう」教授は鷹揚《おうよう》な態度で言った。「その話はいったんおいて、今度はこの骨を見てもらおう」渡されたのは、画家の遺品の一つとさきほど説明された骨である。長さは六インチ（約十五センチ）ほどで親指より太い。一端には乾いた軟骨《なんこつ》らしいものが残っている。

「どんな動物の骨だと思う？」教授は尋ねた。

僕はしげしげと見ながら、薄れかけた知識を思い出そうとした。

「人間の鎖骨《さこつ》のかなり太いやつでしょうか」

教授は軽蔑的に手を振って否定した。

「人間の鎖骨は曲がっている。これはまっすぐだ。また表面にある溝から、強い腱《けん》がそこについていたことがわかる。となると鎖骨ではありえない」

「それでは僕にはお手上げです」

「無知を恥じることはないぞ。サウスケンジントンのどの博物館員も答えられないはずだ」教授は薬箱から豆粒のように小さな骨を取り出した。「吾輩の鑑定では、この人間の骨がきみの手にしているものに相当する。くらべると生き物の大きさがわかるだろう。軟骨がついていることから、これが化石ではなく最近の骨だとわかるはずだ。さて、意見を聞こうか」

「では象の――」

教授は苦痛をおぼえたように顔をしかめた。

「黙れ！　南米に象がいるわけがなかろう。いまどきの公立小学校《ボード・スクール》は――」

「では」僕はさえぎった。「南米の他の大型動物かもしれません。バクとか」

「若者よ、吾輩が自分の専門分野を知悉《ちしつ》していることは認めるだろう。この骨の持ち主はバクでも、動物学で知られる他の生き物でもない。きわめて大型で、きわめて力が強く、おそらく地球上でもっとも獰猛《どうもう》であり、しかし科学の光がまだあたっていない動物だ。納得できないか？」

「とても興味深いのはたしかです」

「ならば救いがある。きみのどこかに理性が残っているようだ。それを辛抱づよく探っていこう。では死せるアメリカ人から離れて、話を進めるとしよう。この件を深く調べずにアマゾンから出るわけにいかないという気持ちは想像がつくと思う。死んだ旅人がやってきた方向はだいたいわかっている。手がかりはインディオの伝承だ。河畔《かはん》の部族に共通して伝わる奇妙な土地の噂《うわさ》がある。クルプリについてはきみも耳にしたことがあるだろう」

「まったく知りません」

「クルプリは森の精霊だ。悪辣《あくらつ》で恐ろしく、忌避《きひ》すべきものとされる。姿や性質ははっきりしないが、この名はアマゾン一帯で恐怖の代名詞として語られる。そのクルプリが棲《す》む方角はどの部族でも一致している。その方角からあのアメリカ人はやってきた。恐怖のもとはその方向にある。それを調べることにした」

「どんなふうに？」僕は軽口《かるくち》を控えた。この巨漢は注目と敬意にあたいする。

「まず障害になったのは住民たちのかたくなな態度だ。話すこともいやがった。説得、贈り物、治療、多少の脅迫も行使して、二人をガイドとして雇うことに成功した。その後のさまざまな冒険は割愛する。進んだ方角も伏せる。やがて到達した地域は、どんな文献にも書かれておらず、不運なアメリカ人をのぞけば人跡未踏《じんせきみとう》の地だった。これを見ろ」

ハーフサイズの一枚の写真を手渡された。

「映りがよくないのは、川を下る旅程でボートが転覆したからだ。未現像のフィルムがはいったケースが壊れ、悲惨なことになった。ほぼすべての写真が完全にだめになった。修復不能だ。その運命を多少なりとまぬがれたうちの一枚がこれだ。ボケや変色はそのせいであり、甘受《かんじゅ》してもらいたい。偽造などと噂されているのは承知しているが、いちいち議論する気はない」

たしかにかなり退色した写真だった。映りは暗く、批判的な評者が誤った解釈をしても不思議ではない。鈍《にぶ》い灰色の風景の細部がしだいに読みとれるようになると、遠くにとても高い断崖絶壁がまるで瀑布《ばくふ》のように長く連なっているのがわかった。前景には木におおわれた傾斜した地面が広がっている。

「さっきの絵とおなじ場所のようですね」

「まったくおなじ場所だ。画家のキャンプ跡《あと》があった。次はこれだ」

おなじ景色でもっと近づいている。ただし写真の劣化はさらにひどかった。岩山がかろうじて見分けられる。亀裂《きれつ》によって孤立した姿と、頂上に生えた木が見てとれる。

「これは疑いの余地がありませんね」

「話が早い。では次へ進もう。その岩山のてっぺんに注目してくれ。なにが見える？」

「大木です」

「木の上には?」

「大きな鳥がいます」

拡大鏡が渡された。

「やはり大きな鳥が木にとまっていますね」僕はのぞきながら答えた。「嘴《くちばし》がずいぶん大きい。ペリカンかな」

「きみの視力はほめられないな。それはペリカンではない。じつは鳥でさえない。この特定の標本を撃ち落とすことに成功したといえば、きみも興味をもつだろう。持ち帰れた唯一の物証だ」

「あるんですか?」具体的な物証をついに拝《おが》めるのか。

「あった。残念ながら、写真をだめにしたのとおなじボート事故で他のさまざまな物証とも失われた。それでも急流の渦に吞みこまれる寸前につかんだ翼の一部が手のなかに残った。そのまま吾輩は意識不明で川岸に打ち上げられたが、貴重な標本の無残な残骸は放していなかった。それを見せよう」

引き出しから取り出されたものは、大きなコウモリの翼の半分に見えた。長さは二フィート(約六十センチ)以上。曲がった骨の下に薄い膜《まく》が張っている。

「巨大コウモリだ!」

「まったくちがう」教授はきびしく否定した。「吾輩のように高等教育を受けて科学的な空気を吸って日々をすごしていると、一般人は動物学の初歩の初歩すら知らないことをつい忘れてしまう。比較解剖学の基本を知らなくてもしかたないが、鳥の翼は前腕にあたる。対してコウモリの翼は長く伸びた三本の指のあいだに飛膜《ひまく》が張ったものだ。これの場合、骨はあきらかに前腕ではない。そして一本の骨のあいだに一枚の飛膜が張っているのがわかるだろう。つまりコウモリではない。鳥ではなく、コウモリでもないとすると、なにか？」

僕の浅い知識はすぐに底をついた。

「見当がつきませんね」

教授はさきほどの定評ある書物を開いた。

「これだ」と、空飛ぶ恐ろしい怪物の絵をしめす。「ジュラ紀の翼竜ディモルフォドン、またはプテロダクティルス。その美しい再現図だ。次ページには翼の構造がわかる図もある。標本と比較してみたまえ」

見くらべて僕は驚嘆の波に襲われた。確信した。もはや異論の余地はない。積み重ねられた証拠に圧倒された。スケッチ、写真、本人の話、そして具体的な標本。証拠はそろっている。僕はそのとおりに言った。熱をこめた口調になったのは、教授は誤解された人物と感じたからである。教授は椅子に背中を倒して半眼になり、寛容な笑みを浮かべ、突然の暖かい日差しを楽しむ顔になった。

「これは世紀の大事件です！」ただしその興奮は科学的情熱というより新聞記者の情熱から

だった。「途方もない。あなたは科学界のコロンブスです。失われた世界の発見者です。疑ったりして本当に申しわけありませんでした。あまりに想像を絶する話だったので。でも証拠を見て理解しました。だれが見ても納得するはずです」

教授は満足げに喉を鳴らした。

「そして、それからどうしたんですか？」

「現地は雨季だったのだ、マローン君。食料も尽きかけていた。巨大な断崖絶壁をしばらく先まで探索してみたが、登攀《とうはん》はとても無理だった。それにくらべると、プテロダクティルスを撃ち落としたピラミッド状の岩山のほうがまだしも登りやすそうだった。吾輩は岩登りの経験もあるので、途中まで登ってみた。その高さからは断崖の上の台地のようすがいくらか見渡せた。かなり広い。緑の植物をかぶった崖は西にも東にも切れめなく続いているようだった。崖の下は湿地に近いジャングルで、蛇《へび》と虫と熱病が猖獗《しょうけつ》している。これらがこの特異な土地を守る天然の要害になっている」

「生物は見かけましたか？」

「いや、見なかった。しかし崖下で野営《やえい》を続けた一週間に、頭上から響くとても奇妙な鳴き声を聞いた」

「ではあのアメリカ人が描いた生物は？　どう説明しますか？」

「登って目撃したと考えるしかない。つまり登るルートはあるはずだ。ただし、とても通りにくいはずだ。そうでなければあの生物たちが下りてきて周辺地域を蹂躙《じゅうりん》しているはずだからな。当然だろう」

「あんなところに彼らが住み着いた理由は？」

「たいした謎ではあるまい。筋のとおる解釈は一つだけだ。きみも聞いたことがあるだろうが、南米は花崗岩《かこうがん》の大陸だ。この場所の地下で太古に突然大きな火山活動が起きた。あの断崖は玄武岩なので、地下深部で生成したものだ。おおむねサセックスくらいの地域が、そこに住む動植物ごとひと塊《かたま》りに隆起した。そして侵食に耐える硬い岩盤でできた垂直の断崖絶壁によって大陸全体から隔離された。その結果は？　通常の自然の法則はおよばなくなる。外の世界で生存競争を左右するさまざまな関門はすべて無効になるか、条件が変化する。普通なら絶滅するはずの生物が生き延びる。プテロダクティルスもステゴサウルスも本来生きていたのはジュラ紀であり太古の昔だ。この奇妙で偶発的な環境によって不自然に保護されたのだ」

「証拠は決定的です。権威ある場所でこれらをしめせばいいのでは」

「吾輩も愚直にそう考えていた」教授は苦々《にがにが》しげに答えた。「しかし実際にはちがった。行く先々で懐疑論が立ちはだかった。いずれも愚かさ半分、やっかみ半分だ。人に媚《こ》びるのも、疑われるたびに事実を証明しようとするのも流儀ではない。最初にそんなことがあったせいで、手もとの補強証拠を提示する気が失《う》せた。この話題を不愉快に感じ、話したくなくなった。きみの同業者のように烏合《うごう》の衆の好奇心を代弁する連中がやってきて私生活を侵害しはじめると、とても品よく対応することはできなかった。もともと激しやすく、挑発されると暴力に訴えがちな性格なのだ。きみは身をもって知っているだろう」

僕は無言で目のまわりの痣をなでた。

「この点では妻から何度もいさめられた。しかし名誉を重んじる者ならだれでもおなじ気持ちになるだろう。しかし、今夜だけは感情を意志の力で最大限に抑えるつもりだ。きみも会合に招待しよう」机からカードを取って渡された。「そこにあるとおり、世間で人気の博学者パーシバル・ウォルドロンが、動物学協会のホールで八時半から『時代の記録』という題目で講演をやる。吾輩はとくに舞台上の席に招かれ、講演者への謝辞を述べることになっている。そのときに自分の主張をまじえさせてもらう。できるだけ婉曲《えんきょく》で遠まわしな表現で観客の興味を喚起する話をいくつかする。それによって一部の観客はもっと深く知りたいと思うだろう。論争をいどむのではない。この話題にもっと奥があるとほのめかす。自制心を強く働かせて、それが好結果をうむかどうかたしかめるつもりだ」

「僕も出席していいのですか?」熱をこめて尋ねた。

「もちろんだとも」教授は暖かな笑顔で答えた。おおらかで愛想のいい態度は、さっきまでの粗暴さと好対照である。慈愛に満ちた微笑みは輝くほどで、なかば閉じた目と濃い黒髭のあいだにある頬《ほお》は二個のリンゴのように赤く染まっている。「ぜひ来てくれたまえ。ホールに味方が一人はいると思うと心強い。たとえ、話についていく知識や知能がなくてもな。客は大入りのはずだ。ウォルドロンはただのペテン師だが、大衆人気はある。さてマローン君、予定より多くの時間をきみに割《さ》いてしまったようだ。なにごとも独占はよくない。今晩の講演会で会おう。ちなみに、ここで話したことはいずれも非公開だぞ」

「しかしニュース編集員のマッカードルは取材結果を聞きたがるはずです」

「話すだけなら好きにしろ。ただし、新たな記者を迷惑千万な取材によこしたら乗馬用の鞭《むち》を手に乗りこむと強調しておいてくれ。ここでの話が紙面に載らないようにきみが責任を持て。よろしい。では今晩八時半に動物学協会のホールで」そしてその赤い頬と青黒く波打つ髭と偏屈《へんくつ》な双眸を強く印象づけられて、僕は部屋から追い出された。

5　異議あり！

チャレンジャー教授との一回目の会見でこうむった肉体的ショックと、二回目の会見で受けた精神的ショックによって茫然《ぼうぜん》自失の新聞記者というていで、僕はふたたびエンモアパークに出た。ずきずきと痛む頭のなかでは、話は真実だったという驚きと、大変なことになったという思いと、記事にする許可が出れば〈ガゼット〉にとって前代未聞の特ダネだという興奮が渦巻いていた。道の端でちょうどタクシーが客待ちしていたので、それに飛び乗ってオフィスへもどった。マッカードルはいつもの席にいた。

「やあ、どうなったかね？」彼は待ちかねたようすで声をあげた。「まるできみを戦争に行かせた気分だったぞ。まさか殴られたのか？」

「最初にちょっとした意見の相違がありました」

「なんてやつだ！　それでどうした？」

「そのあとは落ち着いて話をできるようになりました。しかしなにも聞き出せていません。すくなくとも紙面にできることは」

「信用ならんな。目のまわりに痣《あざ》ができてるじゃないか。これは紙面になる。こんな恐怖政治を許すわけにいかないぞ、マローン君。思い知らせてやろう。明日の版できびしい小社説を書いてやる。取材内容を話したまえ。一生消えないあだ名をつけてやる。ほら吹き男爵にちなんでミュンヒハウゼン教授はどうだ。大見出しにいいだろう。サー・ジョン・マンデヴィルやカリオストロの復活でもいい。歴史上の詐欺師や狼藉者《ろうぜきもの》ならだれでもいい。ペテン師として世間にさらしてやろう」

「そんなことはしません」

「なぜだ？」

「彼の話はペテンではないからです」

「なにを言っている!」マッカードルは怒鳴った。「マンモスとかマストドンとか大海蛇《おおうみへび》とか、あの男の話をきみは信じてしまったのか?」

「そうじゃありません。そんなものは主張していませんでした。でもなにか新発見をしたのはまちがいないと思います」

「だったらすぐそれを書きたまえ!」

「書きたいのはやまやまですが、すべて秘密が前提で、書かないという条件のもとに聞かされたのです」教授の話を短く要約して聞かせた。「……というわけで」

マッカードルは深い疑念の顔である。

「とにかく、マローン君」しばらくして編集員は言った。「今晩のその科学講演会についてはなんら秘密ではないわけだ。ウォルドロンはすでに何度も記事になっているから、他紙もいまさら取材に来ないだろう。そしてチャレンジャーが出席することはだれも知らない。うまくすればスクープになるぞ。行って詳しい記事を書け。真夜中まで紙面を空《あ》けて待っていよう」

日中はあれこれと忙しかった。そのあと〈サベージ・クラブ〉でタープ・ヘンリーと早めの夕食をとりながら、朝の出来事をかいつまんで話した。細面《ほそおもて》に懐疑的な笑みで聞いていたタープは、僕が教授の話を信じたことを知って大笑いした。

「やれやれ、現実にそんなことがあるわけないだろう。世紀の大発見をしながら、その証拠を失うなんて。小説家の仕事だ。あの男は動物園の猿小屋のようにさまざまなトリックを使ったのさ。全部でたらめだ」

「アメリカ人の詩人は？」

「存在しない」

「そのスケッチブックを見た」

「チャレンジャーのさ」

「彼があの動物を描いたというのかい？」

「もちろんだ。他にだれがいる」

「じゃあ、写真は？」

「なにも映っていないじゃないか。きみの話によれば鳥が一羽だ」

「プテロダクティルスだ」

「彼の言い分だ。プテロダクティルスときみは思いこまされたんだ」

「じゃあ、骨は？」

「最初のはアイリッシュシチューの残り物だよ。二番目のはこういうときのためにでっち上げたものだ。頭がよくて方法がわかっていれば、骨の偽造も写真とおなじく簡単だ」

僕は迷いはじめた。鵜呑《うの》みにしてしまった未熟者なのか。そのとき妙案が浮かんだ。

「今夜の講演会にきみも来ないか？」

タープ・ヘンリーは思案《しあん》顔になった。

「人気者ではないからな、あのチャレンジャーという男は。さまざまな人からさまざまな言われようをしている。ロンドンいちの嫌われ者といっても過言でないだろう。会場に医学生が来ていたら大騒ぎになるぞ。下衆《げす》な騒ぎに巻きこまれるのはごめんだ」

「でも公平であるためにはこの件について本人の弁を聞くべきじゃないか？」

「まあ、公平性という点ではそうだろうな。よし、今晩はつきあおう」

ホールに着いてみると予想以上の混雑ぶりである。ブルーム型電気自動車の列からは白髯《はくぜん》の教授たちが続々と降りてくる。徒歩の庶民は黒い奔流《ほんりゅう》となって入場口のアーチに殺到する。科学者とおなじくらいに一般客も多いらしい。席につくとそれがはっきりした。会場のうしろの席や桟敷《さじき》席は、若いというより少年のような活気が満ちている。僕らの背後の席には医学生らしい顔が並んでいる。あちこちの大病院から集団でやってきたらしい。聴衆の雰囲気は元気で、ややいたずらっぽい。ときどき流行歌の合唱が楽しげに聞こえてくるのが、科学講演の開演前にしては奇妙でもある。すでに個人への野次《やじ》が飛んでいる。聴衆にはこれが愉快な晩のまえぶれだとしても、不名誉な声を浴びる側には愉快ではないだろう。

たとえば、メルドラム博士がいつもの鍔《つば》の反《そ》ったオペラハットをかぶって舞台上にあらわれると、「そのおかしな帽子をどこで買ったんですか？」という問いかけがいっせいに飛び、博士はあわてて脱いで椅子の下に隠した。痛風《つうふう》に悩むワドリー教授がよたよたと席へ歩いていくと、ホールのあちこちから患部の足の指の具合を親切に尋ねる声がかけられ、ご本人はばつの悪い顔になった。なかでも反応が大きかったのは、わが知己《ちき》となったばかりのチャレンジャー教授が登場し、舞台前列の末席へ歩いていったときである。その黒い髭《ひげ》がちらりとのぞいただけで割れんばかりの歓声があがり、僕はタープ・ヘンリーの推測が正しいかもしれないと思いはじめた。すなわち、今晩の盛況ぶりは純粋な講演への興味ではなく、かの有名な教授に発言の機会があたえられているという噂《うわさ》が流れたせいではないか。

身なりのよい人々が集まる会場前列の席からも、教授の登場を見て学生たちに同調する笑い声があがった。このときばかりは学生たちとおなじ気分が読みとれる。その学生たちの騒ぎっぷりは、まるで檻《おり》のなかの肉食獣が餌《えさ》のバケツを持った飼育員の足音を聞きつけたような獰猛《どうもう》さである。攻撃的な調子もなくはない。しかし全体としては騒ぎたいから騒いでいる。自分たちを楽しませ、愉快にしてくれる人物への荒っぽい歓迎であり、不快や嫌悪の表明ではない。一方のチャレンジャーは、辟易《へきえき》としつつも寛大に微笑《ほほえ》んでいる。けたたましく鳴き騒ぐ仔犬《こ》の群れを鷹揚《おうよう》に見るようすに近い。ゆっくりと着席し、咳払いし、髭を軽くなでつけ、超然とした半眼《はんがん》で満場の聴衆を見渡す。その登場の騒ぎがおさまらないうちに、議長のロナルド・マレー教授と講演者のウォルドロン氏が舞台上で進み出て、講演会がはじまった。

マレー教授は、大変失礼ながら、なにを言っているのか聞こえないというイギリス人の大半にあてはまる悪癖《あくへき》の持ち主である。聞くにあたいすることを話す人物が、聞こえるように話すことをなぜ学ばないのかは現代の奇妙な謎の一つだ。泉から貯水池へ貴重な水を移すのに詰まったパイプをもちいるがごとき不適切さである。ちょっとした努力で詰まりを除けるのにそれを怠《おこた》る。マレー教授は、みずからの白いネクタイや演台の水差しにむけてなにやら深甚《しんじん》なる意見を開陳《かいちん》し、右側の銀の燭台《しょくだい》にむけては愉快で楽しいなにかを述べたあと、着席した。かわって有名な講演者のウォルドロン氏が起立し、会場全体からの穏やかな拍手に迎えられた。顔は頰《ほお》がこけてきびしく、声は耳ざわりで、態度は積極果敢《かかん》である。しかし他人の考えを吸収し、べつのだれかに伝えるのがうまい。一般大衆からするとその伝え方がわかりやすく興味深い。おもしろくないことをおもしろく話す才能がある。おかげで春分点歳差《さいさ》でも脊椎《せきつい》の構成でも、彼にかかるととても愉快に語られる。

今晩は天地創造。それを科学的な解釈で概観する。語り口はつねに明瞭、ときに映像的である。まずは天でガスの炎を吐く巨大な火の玉。それが冷えて固化し、皺《しわ》がよって山脈になり、蒸気が水になる。そうやってゆっくりと形成された舞台で、いよいよ不可思議な生命のドラマがはじまる。慎重な講演者は生命の起源について明言を避ける。微生物が初期の灼熱《しゃくねつ》地獄を生き延びられないことは明白であり、断言できる。生命はそのあとにあらわれる。地球の無機物が冷える過程で自然にできたのか。その可能性は高い。隕石《いんせき》に微生物が付着してやってきたのか。これは考えにくい。賢明な講演者はここでドグマ的な対立を避ける。実験室において無機物から有機物の生命をつくりだすことにわれわれはまだ成功していない。死者と生者《せいじゃ》の懸隔《けんかく》に人類の化学はまだ橋をかけられない。しかし高度で緻密《ちみつ》な自然の化学が、長大な年月をかけて強大な力で働けば、人類になしえないことをなせるのかもしれない。この問題は未解決である。

ここから講演者は動物界の長い階段を語りはじめる。下等な軟体動物やひ弱な海の生物からはじまり、魚や爬虫類《はちゅうるい》へと階段を上っていく。そしてついに一匹のカンガルーネズミにたどり着く。子を胎内《たいない》で育てて産む動物。哺乳類の先祖であり、つまり聴衆一人一人の直接の先祖である（「そんなわけがない」と後列から懐疑的な学生の声）。「そんなわけがない」と叫ぶ赤ネクタイの若い紳士は、自分は卵から生まれたと主張しているらしく、大変めずらしい例なので講演のあとでぜひ話をうかがいたい（笑い声があがる）。自然の長大なプロセスの頂点がこの赤ネクタイの紳士だと思うと、とても奇妙に感じられる。このプロセスは止まったのだろうか。この紳士が最終形なのか。これが進化で、これが終点なのか。講演者は赤ネクタイの紳士が気を悪くしないよう願いつつ、話を続ける。この紳士が私生活においてどれほど美徳の持ち主だとしても、彼の誕生をもって宇宙の長大なプロセスが完了するわけがない。進化の力は過去のものではなく、現在も働いている。未来にはその偉大な成果が待っているのである。

このようにして会場のくすくす笑いをさそい、横やりも上手にあしらい、講演者は過去の描写にもどる。干上《ひあ》がる海、砂堆《さたい》の出現。そのへりで生活する軟体動物。生物が過密状態の礁湖《しょうこ》。干潟《ひがた》に逃げこむ海の生物。それを豊富な食料としての成長と大型化。「それが、淑女と紳士のみなさん、現在ウィールデン粘土《ねんど》層やゾルンホーフェンの粘板岩《ねんばんがん》に姿を残して見る者を戦慄《せんりつ》させる、あの恐竜たちです。しかしさいわいなことに彼らは、最初の人類が地上にあらわれるよりはるか昔に絶滅しました」

「異議あり!」舞台に声が響き渡った。

ウォルドロン氏はきびしい規律主義者で、先刻の赤ネクタイの紳士の例で見せた辛辣《しんらつ》なユーモアもそなえている。ゆえに横やりをいれるのはたいそう危険である。しかしこの異議はあまりに不合理に思えたので、講演者は即座の切り返しができなかった。あたかも愚劣《ぐれつ》なベーコン作者説の信奉者と対面したシェイクスピア研究者か、地球平面説の狂信者に議論をふっかけられた天文学者かという顔である。しばしためらったのちに、直前の言葉をゆっくり大きな声でくりかえす。「——人類が地上にあらわれるよりはるか昔に絶滅しました」

「異議あり!」ふたたび大音声《だいおんじょう》が響き渡る。

舞台に居並ぶ教授たちの列の端でチャレンジャーの姿に目をとめたウォルドロン氏は、驚き顔になった。チャレンジャー教授は瞑目《めいもく》して愉快そうな表情で椅子にふんぞり返っている。まるで眠りながら笑っているかのようである。

「ああ、わが友、チャレンジャー教授でしたか」ウォルドロンは肩をすくめて笑いを誘った。それだけ言えばあとは説明不要というように講演を再開する。

しかしそれでは終わらなかった。講演者が太古の自然に言及すれば、〝絶滅した〟とか〝先史時代の〟とかの表現をどうしても使う。すると即座に教授の巨体から大声が発される。聴衆もしだいに期待し、そのたびに大喝采《かっさい》するようになった。満場の学生たちにいたっては声をあわせる。チャレンジャーの髭が動くやいなや、その発声より早く、百人の声で「異議あり！」の大声が響く。それに対して、「静粛《せいしゅく》に！」とか「恥を知れ！」とたしなめる大声も多数あがる。筋金《すじがね》入りの講演者で図太い神経のウォルドロン氏もさすがに動揺してきた。言葉に詰まり、どもり、おなじところをくり返し、長い文でこんがらがり、ついには諸悪の根源にむきなおって怒りをぶつけた。

「もうがまんならない！」ウォルドロンは舞台の教授席をにらみつける。「言わせていただくぞ、チャレンジャー教授。無知で無礼な野次はやめてもらいたい！」

会場は静まりかえった。学生たちは、オリュンポス山に住まう天上の神々の口喧嘩《くちげんか》を固唾《かたず》を呑《の》んで見守る。チャレンジャーの巨体がゆっくりと椅子から立ち上がった。

「ではこちらも言わせていただく、ウォルドロン君。科学的事実にもとづかない断定はやめてもらいたい」

たちまち怒号《どごう》の渦が巻き起こった。「恥を知れ、恥を！」「静粛に！」「つまみだせ！」「舞台から引きずり下ろせ！」「公正にやれ！」と、嫌悪と快哉《かいさい》、両方の叫びがいりまじる。議長は立ち上がって両手をひらひらと振り、あわてて情けない声をあげている。よく聞こえず、

「チャレンジャー教授……私見……あとで……」といった単語が切れぎれに理解できた。野次の張本人は頭を下げ、笑顔で髭をなでて席にもどる。ウォルドロンは顔を紅潮《こうちょう》させ、喧嘩腰で講演を再開した。問題の断定表現が出てくるたびに毒気に満ちた視線を論敵にむける。その相手はほがらかな笑顔のまま、深い居眠りをするように目を閉じている。

やがて講演は終わった。尻切れトンボの終了といわざるをえない。結論は拙速《せっそく》で脈絡がなく、論点は雑に放り出したままだった。聴衆は不満げに、次の展開を待っている。ウォルドロンは席にすわった。議長がなにか言ったあと、チャレンジャー教授が舞台の端へ進み出た。僕は取材記者として一言一句《いちごん》を書きとめた。

「淑女と紳士のみなさん——」背後から野次を浴びながら話しはじめた。「——失礼、淑女と紳士とお子さまのみなさん——今晩の聴衆の大半を占める人々を失念して申しわけない」（喚声《かんせい》渦巻く。そのなかで教授は片手を上げ、心情を察するようすでうなずく。まるで神官が民《たみ》に祝福をあたえるかのようである）「吾輩《わがはい》が本日招かれたのは、いまみなさんがお聴《き》きになった映像的かつ想像力豊かな講演をしたウォルドロン氏に謝辞を述べるためであります。ただし話に同意できない点もあり、そのたびにやむをえず不同意を表明しました。とはいえウォルドロン氏は目的を果たしたといえるでしょう。すなわち、この惑星の歴史としてみずから信じるところを単純かつ興味深く解説するという目的です。このような一般向けの講義は聞きやすいのですが、失礼ながら——」（ここで講演者に目をやってウィンク）「——ウォルドロン氏のそれは表面的かつ誤解を招くものにならざるをえない。なぜなら無知な聴衆の理解力にあわせなくてはいけないからです」（皮肉な喝采）「一般むけ科学講話の講演者は寄生虫とおなじです」（ウォルドロン氏は怒りの抗議の身ぶり）「彼らの目的は金と名声。そのために、困窮《こんきゅう》した無名の科学者の成果を搾取《さくしゅ》しています。真《しん》に貴重なのは実験室で得られる小さな新事実や科学の殿堂にくわえる一個の煉瓦《れんが》であり、二次利用の解説などに価値はない。暇つぶしにはなってもなにも残らない。このしごく当然な見解を申しあげるのは、なにもウォルドロン氏をおとしめるためではない。みなさんに事の軽重《けいちょう》を正しく理解し、ただの侍祭《じさい》を司祭長と見誤らないでいただきたいがためです」（この時点でウォルドロン氏は議長に耳打ちする。議長は腰を浮かせて、水差しになにか辛辣なことを言う）「しかしその話は終わりです！」（騒々しく長い喝采）「もっと興味ある話題に移りましょう。最前線の研究者である吾輩が講演者の正確性に疑問を呈したのは、具体的にどんな点か？　それはある種の動物の地上における永続性についてであります。この話題に関して吾輩は素人《しろうと》ではなく、まして一般向け科学講話の講演者でもない。事実に忠実な科学的良心から申しあげている。ウォルドロン氏は自分がいわゆる先史時代の動物を見たことがないからといって、それらはもう存在しないと断じているが、これはまったくの謬見《びゅうけん》であります。彼らはたしかにわれわれの先祖ですが、いわば同時代に存在する先祖なのです。生息地を探す不屈なエネルギーがあれば、その巨大で恐ろしい姿を拝《おが》むことはまだ可能なのです。ジュラ紀にいた巨大生物――最大かつ最強の哺乳類《ほにゅうるい》であるわれわれを狩り、むさぼり食う怪物たちは、いまも存在するのです」（「嘘だ！」「証明しろ」「なぜわかる？」「異議あり！」といった叫びが飛びかう）「なぜわかるか？　彼らの秘密の生息地を発見したからです。その一部をこの目で見たからです」（拍手喝采、怒号、そして「嘘つき！」の声）「嘘つきだと？」（全体から大きく騒々しい同意の声）「だれか嘘つき呼ばわりしたのか？　その人物は起立して顔を見せてもらいたい」（「こいつです、教授！」という声とともに、温厚そうで小柄な眼鏡《めがね》の男が、強く抵抗しながらも学生たちに押し上げられる）「きみが吾輩を嘘つきと呼んだのか？」（「いいえ、ちがいます！」と被告は叫んで、びっくり箱の仕掛けのように引っこむ）「この会場に吾輩の誠実さを疑う者がいるなら、講演後にじかに話をしようじゃないか」（「嘘つき！」）「今度はだれだ？」（ふたたび温厚そうなべつの男が、隠れようともがくもむなしく空中に押し上げられる）「こちらから行ってやろうか――」（「おいで、おいで！」と会場全体が合唱。そのせいでしばらく進行が中断する。議長は立ち上がり、音楽の指揮者のように両腕を振りまわす。教授は紅潮し、鼻をふくらませ、髭を逆立て、すっかり戦闘的態度である）「偉大な発見者はつねにかくのごとき懐疑の声に直面してきたのです。その時代の鈍物《どんぶつ》の群れ。偉大なる事実が面前にあるのに、それを理解する洞察力も想像力もない。命がけで科学の新領域を拓《ひら》いた者に泥つぶてを投げるばかり。そうやって迫害するのだ。預言者を、ガリレオを、ダーウィンを、そして吾輩を――」（長い喝采とありとあらゆる野次）

現場での僕の走り書きは以上である。この時点での会場の混乱ぶりがいくらか伝わるだろう。喧噪《けんそう》があまりにひどいので一部のご婦人方は早々に退席された。普段はいかめしく荘重《そうちよう》な年長者も、このときばかりは学生の騒ぎっぷりに悪影響を受けていた。白髯《はくぜん》の人物が立ち上がって頑物《がんぶつ》の教授に拳《こぶし》をふりかざすのを目撃した。満場の聴衆が沸騰《ふつとう》する鍋《なべ》さながらに立ち騒いでいた。そんななかで教授は両手を頭上にかかげて一歩前に出た。その姿がとても力強く、人目《ひとめ》を惹《ひ》き、迫力があるために、騒音と叫声《きようせい》はしだいにおさまった。堂々たる態度と強い目の力が明確なメッセージとなり、会場は静まって耳を傾けた。

「諸君を引きとめて話をするつもりはない。その価値はない。真実は真実であり、愚かな若者が何人騒ごうと――それをいうなら愚かな年長者も加わって何人騒ごうと――関係ない。吾輩は科学の新領域を拓いた。反論があるなら――」(歓声)「――よろしい、試す機会をやろう。諸君のなかから一人でも二人でも好きなだけ代表者を出して、名乗ったうえで、発言を吟味《ぎんみ》するがいい」

するると、比較解剖学のベテラン教授であるサマリー氏が客席から立ち上がった。長身瘦軀《そうく》の苦みばしった男で、神学者のようにきびしい顔つきをしている。サマリー氏はチャレンジャー教授に対し、発言中でほのめかした成果は二年前のアマゾン川遡《そ》行《こう》旅行で得たものかと尋ねた。

チャレンジャー教授は、そうだと答えた。

サマリー氏は、ウォレスやベイツやその他の科学的評価の確立したこれまでの探検家が見落とした地域を、なぜチャレンジャー教授が発見できたのかと尋ねた。

チャレンジャー教授は、サマリー氏はアマゾン川をテムズ川と混同しておられるようだと答えた。相手は大河である。支流がつながったオリノコ川とあわせると水路の総延長は五万マイル（約八万キロメートル）におよぶ。これだけ広大であれば、見落としをあとから発見するのは充分可能である。

サマリー氏は辛辣な笑みとともに、テムズ川とアマゾン川のちがいはよく承知していると述べた。そのちがいゆえに、前者における主張が検証可能でも、後者においては不可能になる。そこでチャレンジャー教授が先史時代の動物を発見したという地域の緯度と経度を明かしてもらいたい。

チャレンジャー教授は、その情報の公表は正当な理由から控えたいと答えた。しかし聴衆に選ばれた委員会に対して適切な用心のもとに開示するのはやぶさかでない。サマリー氏がその委員会となり、直接検証してもらえるのか？

サマリー氏「やりましょう」（大喝采）

チャレンジャー教授「ではその場所に到達するために必要な情報を提供すると約束しましょう。しかし、サマリー氏が吾輩の発言を検証してくれるあいだ、彼を検証する人物が他に一人二人必要であろう。困難と危険をともなうことは隠しようがない。サマリー氏には若い同行者が必要だ。だれか志願者はおらぬか？」

　サマリー氏は大きな生命の危機に飛びこもうとしている。僕はこのホールに足を踏みいれたとき、こんな夢想だにせぬ秘境への冒険に自分が名乗りをあげるとは思っていなかった。しかしグラディスが……彼女が話していた絶好の機会とはまさにこれではないか。グラディスなら行けと言うだろう。僕は飛びあがるように立ち、声をあげた。しかし言うべきことが頭に浮かばない。連れのタープ・ヘンリーが僕の上着の裾《すそ》を引いて小声でたしなめる。「すわれ、マローン！　公衆の面前でばかなまねはよせ」そのとき、僕よりいくつか前の席の長身痩軀で濃い赤毛の男が、おなじく立ち上がっているのに気づいた。彼は不愉快そうなきびしい目でこちらをにらんでいる。それでも僕はひるまなかった。

「行きます、議長殿！」僕はさっきからくり返していた。

「名前を、名前を！」聴衆が叫ぶ。

「エドワード・ダン・マローン、〈デイリー・ガゼット〉の記者です。だれよりも不偏不党《ふへんふとう》の目撃者になれます」

「そちらの名前は？」議長は長身のもう一人にむけて尋ねた。

「ジョン・ロクストン卿です。すでにアマゾンへの旅行経験があり、現地を知っています。今回の検証には適任と自負します」

「ジョン・ロクストン卿はスポーツマンとして、また旅行家として世界的に有名だ」議長は言った。「一方で、報道関係者を調査旅行にくわえることも同様に有意義だろう」「では提案したい」チャレンジャー教授が述べた。「この二人の紳士をいずれもこの会場の代表者として選任し、サマリー教授の旅の同行者として吾輩の発言の真否を調査、報告してもらうことを」

こうして叫声と喝采のなかで僕らの運命は決まった。出口へむかう人の流れでもみくちゃにされながら、突然の壮大な計画に僕は茫然としていた。ホールから出ると、歩道で笑う学生たちがふいに意識された。重い傘《かさ》を持って人ごみのなかで上下に動かしている。歓声と罵《ば》声《せい》のなかでチャレンジャー教授のブルーム型電気自動車が縁石《えんせき》を離れて走り去った。僕はいつのまにかリージェント街の銀色の照明の下を歩いていた。頭のなかはグラディスのことと将来の心配でいっぱいである。

ふいにだれかが僕の肘《ひじ》にふれた。そちらを見ると、愉快そうで自信たっぷりのまなざしがあった。今回の奇妙な旅でもう一人の同行者に志願した長身痩軀の男である。

「マローン君だね。旅の仲間になる……といえばいいかな。じつはこの道のむこうのオルバニーに部屋があるんだ。三十分ほど立ち寄ってもらえないだろうか。ぜひ話したいことが一つ二つある」

6　暴れん坊貴族と呼ばれていたんだ

ジョン・ロクストン卿と僕はヴィーゴ街を並んで歩き、くすんだ門を通って、独身貴族が集まる有名なアパートメントにはいった。薄暗く長い通路のつきあたりで、この新たな知人は扉を押し開け、電灯のスイッチをいれた。ステンドグラスのランプがいくつかともり、赤みがかった色に輝く広い部屋が目のまえにあらわれた。僕は扉口で足を止めて眺めた。全体は特別に快適で華麗な印象だが、男らしく力強い雰囲気もある。趣味のよさと財力があらわれた豪華な部屋でありながら、独身らしい乱雑さも散見される。豊かな毛皮の敷物と、東洋のバザールで求めたらしい七色の絨毯《じゅうたん》が床のあちこちをおおう。壁には素人目《しろうとめ》にも高価で貴重とわかる絵や版画がかかっている。ボクサーやバレエダンサーや競走馬のスケッチと、官能的なフラゴナールや勇壮なジラルデや夢想的なターナーが交互にあらわれる。これらの装飾品のあいだに点々とおかれた各種の記念品から、ジョン・ロクストン卿が当代きってのスポーツマンであり運動家であることを僕ははっきりと思い出した。マントルピースの上で交差する濃紺《のうこん》とチェリーピンクのオールは、オクスフォード大学とレアンダー・クラブの競漕《きょうそう》選手であったことをあらわす。その上下にはフェンシングの剣とボクシングのグローブがかけられている。どちらも真剣勝負で優劣を競う男の道具だ。さらに狩猟でしとめた大きな獲物の首の剝製《はくせい》が、羽目板《はめいた》のように壁にずらりと並んでいる。いずれも世界各地の一級の獲物で、なかでもめずらしいラド飛び地のシロサイが分厚い唇《くちびる》を垂らしている。

豪華な赤い絨毯の中央にはルイ十五世様式の黒と金のテーブルがある。この美しいアンティーク家具が、無頓着《むとんちゃく》にグラスの跡《あと》や葉巻《はまき》の吸いさしによる焼けこげだらけにされている。おかれているのは銀の灰皿とウィスキー台。その隣のソーダサイフォンも使って、招待主は無言で二つの背の高いグラスを満たしている。肘《ひじ》掛け椅子を僕にしめし、飲み物をそばにおいて、長く滑《なめ》らかなハバナ葉巻を勧《すす》める。それから自分もむかいに腰を下ろして、こちらをじっと長いこと見つめた。奇妙にきらめく無遠慮な視線だ。瞳は冷たく淡い青で氷河湖《ひょうがこ》を思わせる。

僕は葉巻の薄い煙ごしに、さまざまな写真で見覚えのある顔の細部を見ていった。力強い鼻の曲線。やつれてくぼんだ頰《ほお》。頭頂が薄くなった暗い赤毛の髪。短く男らしい口髭《くちひげ》と、突き出た顎《あご》をおおう小さく果敢《かかん》な顎鬚。ナポレオン三世やドンキホーテを思わせる一方で、野山と犬と馬を愛する潑剌《はつらつ》としたイギリスの地方紳士のエッセンスも感じる。肌は日差しと風にさらされて素焼《すや》きの植木鉢《ばち》のように赤く焼けている。眉毛は長くて垂れ、おかげで冷たい瞳が獰猛《どうもう》に見える。眉間《みけん》の深い皺《しわ》もその印象を強める。体は瘦《や》せているが、筋肉も相当についている。それどころか持久力ではイギリス屈指《くっし》であることを何度か証明ずみだ。身長は六フィート（約百八十センチ）をやや上まわるが、背中を丸めているせいで低く見える。この有名なジョン・ロクストン卿が、僕のむかいにすわって葉巻を強く嚙《か》み、長く居心地の悪い沈黙のなかでこちらを凝視している。

「とにかく」ようやく彼は口を開いた。「われわれはそういうことになったわけだ、頼もしい若者よ」（この〝頼もしい若者〟というところを一つの単語のように話した）「きみもわたしも思いきって飛びこんだ。あの会場へ足を運ぶまえは思ってもみなかったことじゃないかな」

「そうですね」

「わたしも同様だ。想定外だ。なのにいまは首までどっぷり浸《つ》かっている。三週間前にウガンダから帰ってきたばかりで、スコットランドで土地をみつけて借りる契約を結んだところなんだよ。なのにおかしなことになった。きみはどういうつもりなんだい？」

「僕にとっては仕事の一環《いっかん》です。〈ガゼット〉の記者ですから」

「そうだったな。あのとき聞いた。ところで、きみに頼みたいことがあるんだ。もしやってくれるなら」

「よろこんで」

「危険があってもか？」

「どんな危険が？」

「バリンジャーだ。危険なんだよ。彼のことは知っているだろう?」

「いいえ」

「おいおい、きみはどこに住んでるんだ? サー・ジョン・バリンジャーといえば、イングランド北部で最高の騎手にきまっているだろう。平地の競走ならわたしも勝負できるが、馬の障害物コースではかなわない。そんなバリンジャーだが、トレーニングの休み期間に大酒を飲むのは公然の秘密だ。バランスをとるためだと本人は言っている。ところが火曜日に譫《せん》妄《もう》状態になって、以来、悪魔のように暴れている。彼の部屋はこの上なんだ。なにか食べさせないとだめになると医者は言っている。しかしベッドで寝ているあいだも上掛けに回転式拳銃をおいて、近づくやつには六発全部ぶちこむと息巻いている。おかげで使用人たちもストライキ中さ。ジョンは冷酷な性格で射撃もうまい。とはいえグランドナショナル障害競走の優勝者をこのまま放置して死なせるわけにいかない。そうだろう?」

「どうするつもりなんですか?」

「きみとわたしで飛びかかろうって作戦さ。うたた寝しているはずだし、もし一人がやられても、もう一人が抑えこめる。枕カバーで両手を縛《しば》って、電話で医者を呼んで胃洗浄をやれば、食事をとらせて命を救えるだろう」

いきなり大変な仕事を頼まれてしまった。僕はとりたてて勇敢な性格ではないし、アイルランド人ならではの想像力のせいで未知で未経験のことには怖《お》じ気づきやすい。その一方で臆病を恐れ、不名誉を怖がるように育てられている。だから勇気を問われると、歴史上のフン族さながらに断崖から飛び下りるようなこともする。ただしその原動力は勇気というより名誉と恐怖である。だから、階上の暴力的な酔漢《すいかん》を想像すると身がすくむ思いだったが、あえて平然とした声をよそおって、いつでも行きましょうと答えた。ジョン卿が重ねて危険を強調しても、むしろ苛立つばかりだった。

「おしゃべりは無駄です。行きましょう」

僕が椅子から立つと、ジョン卿も立ち上がった。そして秘密を打ち明けるような小さな笑いを漏らすと、僕の胸を二、三度軽く叩いて、僕をふたたびすわらせた。

「わかったわかった、若者よ。合格だ」

僕は驚いて見上げた。

「ジョン・バリンジャーの問題は今朝自分で解決した。酔った手が震えているおかげで、部屋着の裾《すそ》に穴を一つあけられただけですんだ。うまく取り押さえたから一週間もすれば正気にもどるだろう。さっきから若者、若者ときみを気安く呼んでいるが、許してくれたまえ。ここだけの話だが、今回の南米行きは大変な苦難を予想している。仲間を連れていくなら頼れる男であってほしい。だから試させてもらった。きみは充分合格だよ。いざというときにはきみとわたししかいないんだ。老人のサマリーは最初からなにもしないだろう。ところで、きみはアイルランド代表としてラグビー・カップに出場するはずだったあのマローンかい？」

「補欠だったでしょうけどね」

「どうりで見覚えがあると思った。きみがリッチモンドからトライを奪った試合は見ていたよ。シーズン最高のランニングだった。ラグビーの試合はなるべく見るようにしているんだ。男らしいスポーツといえば昨今《さっこん》あれしかないからね。しかしきみを招いた目的はスポーツ談義じゃない。計画の準備をするためだ。この〈タイムズ〉の一面に船の予定表が載っている。来週水曜日にブース汽船のパラ行き定期便が出る。教授ときみの準備がまにあうなら、これに乗るのがいいと思うんだが、どうだい？　よし、教授にはわたしが連絡しておくよ。きみは会社との話はついているのかい？」

「取材費なら出してくれるはずです」

「射撃の腕は？」

「国防義勇軍の平均レベルですね」

「やれやれ、その程度なのか！　近頃の若者は必修科目という認識がないからな。針のない蜂《はち》とおなじで巣の防衛に役立たない。いつか蜜泥棒が来たときに恥をかくぞ。しかし南米ではしっかり銃を使えないようでは困る。例の教授が異常者か嘘つきでないかぎり、この世のものならぬなにかに遭遇するはずだ。どんな銃を使ったことがある？」

オーク材の戸棚に歩みよって開くと、まるでパイプオルガンのように輝く銃身がずらりと並んでいた。

「うちの武器庫からきみにあうやつを選んでやろう」

美しいライフルが次々と取り出された。金属音とともに各部を開閉し、満足げに叩いてはラックにもどしていく。まるで母親がわが子をいつくしんでいるようである。

「これはブランド社の五七七口径アクサイト・エクスプレスだ。これであの大物をしとめた」シロサイに目をやる。「あと十ヤード（約九メートル）でこちらがしとめられるところだったよ。

　円錐《えんすい》の銃弾で、機会は一度

　弱き者の優位、勝負は対等

このゴードンの詩を知っているかな。馬と銃とそれらを使う男を謳《うた》わせたら右に出る者はない詩人だ。さて、これも使える道具だぞ。四七〇口径、望遠照準器、二連排莢《はいきよう》、直射照準距離三百五十ヤード（約三百二十メートル）。三年前にペルー人の奴隷監督と戦ったときに使ったライフルだ。じつはあの地域では暴れん坊貴族と呼ばれていたんだ。議会の報告書には載っていない話だ。しかし人権と正義を守るために立ち上がらねばならないときがかならずあるんだ、若者よ。だから小さな戦争をしたのさ。一人で宣戦布告し、一人で戦い、一人で決着させた。この刻み目はそれぞれが奴隷殺しを倒した印だ。たいした数だろう？　この太

いやつは親玉のペドロ・ロペス。プトマヨ川の奥地で殺した。さて、きみにはこれがいい」美しい銀色に輝く二連銃を取り出す。「銃床《じゅうしょう》はよく磨かれ、命中精度は高く、装弾子《そうだんし》には五発はいる。命を託せる相棒だ」それを僕に渡して、オークの戸棚の扉を閉じた。椅子へもどりながら続ける。「ところで、チャレンジャー教授をきみはよく知っているのかい？」

「今日が初対面ですよ」

「わたしもだ。知らない男から封印された指南書を託されて船に乗ることになるとはね。強引なやつだ。科学界の同僚たちからもあまり好かれていないと見える。なぜこの件に興味を持ったんだい」

今朝の出来事を手短《てみじか》に話すと、ジョン卿は熱心に聞いた。そして南米の地図を取り出してテーブルに広げた。

「彼の話を片言隻句《へんげんせっく》まで信じるよ」彼は明言した。「そこまで言うのにはわけがある。南米は大好きな場所だ。ダリエン地峡《ちきょう》からフエゴ島まで眺めればわかるとおり、これほど広大で豊かで胸躍る大陸は地球上にほかにない。だれもこの土地を知らず、なにがあるのか知らない。わたしは端から端まで歩いた。さっき話した奴隷監督相手の戦争では、問題の地域で乾季を二度すごした。当時よく似た話を聞いたんだ。たんなるインディオの言い伝えのようだが、背景にきっとなにかある。あの地域を知れば知るほど、なにがあってもおかしくないと思うようになる。あらゆる可能性があるんだ。人が行き来するのは細い水路ぞいだけで、そこからはずれたところは暗黒だ。このマト・グロッソ高原――」地図上を葉巻でしめす。「――あるいは、この三つの国が接するあたりはなにがあっても驚かないね。あの男が今夜話したように、水路の総延長は五万マイル（約八万キロメートル）。森の面積はヨーロッパ全体に匹敵する。スコットランドとコンスタンティノープルほど離れていても、おなじブラジルの大森林のなかなんだ。人はこの迷路の片隅で道をつくったり土を耕《たがや》したりしているだけだ。川の水位は最大四十フィート（約十二メートル）も上下する。土地の半分は徒渉《としょう》不能の沼沢地《しょうたくち》。こんな地域に新奇ななにかが隠れていても不思議はない。それを発見できない道理はない。それに――」頬のこけた顔を異様な歓喜で輝かせながら続けた。「――血湧き肉躍る冒険が一マイルごとにひそんでいるんだ。いまのわたしは古いゴルフボールさ。白い塗料はとうに剝《は》げ落ち、日々の暮らしのどこにも刺激を感じない。そのなかで冒険は人生のスパイスさ、若者よ。生きている実感をとりもどせる。人は快適で退屈で軟弱な日常に慣れてしまった。わたしに必要なのは広大な未開の大地と、手にした一挺《ちょう》の銃と、探す価値のある目標だ。戦争も試したし、障害物競走も飛行機も試した。しかしロブスターを食べた夜の悪夢に出るような大型獣ハンティングには真新しい興奮を感じるよ」期待をこめて忍び笑いを漏らす。

この新しい知人について少々長く書きすぎたかもしれない。しかし当面の仲間になる彼について、一風変わった性格や癖のある話し方、考え方まで、最初の印象をしっかり書いておきたかったのである。とはいえ講演会の報告をする必要があるのでさすがに辞去《じきよ》することにした。ジョン卿は顔を桃色に輝かせて椅子にすわり、お気にいりのライフルの発射機構に油を差しながら、待ち受ける冒険を考えてかひとり笑いをしていた。これからどんな危険が待ち受けるにせよ、彼以上に冷静な頭と勇敢な精神を持った者はイギリスじゅう探してもみつからないだろうと僕は確信した。

驚きの連続だった一日を終えて疲れきっていたが、夜はニュース編集員のマッカードルのところへもどってすべて説明した。これは大変なことになったと、マッカードルは明朝、サー・ジョージ・ボーモント編集長に報告した。僕は今回の冒険行の詳しい手記を、連続書簡の形でマッカードルへ書き送ることに同意した。これを随時編集して〈ガゼット〉に掲載するか、あとでまとめて出版するかはチャレンジャー教授の意向しだいとなる。未知の土地へ僕らを導くはずの指南書にどんな条件が書かれているかまだわからない。そこで電話で問いあわせてみたが、報道関係者への罵詈雑言《ばりぞうごん》のあとに、乗る船の連絡があれば出航までに適切な指南書を作成して渡すと言われた。二度目の問いあわせには返事をもらえず、ただ夫人から夫はすでにかなり機嫌が悪いので、さらに悪化させることはやめてほしいと泣きつかれた。後日の三度目の問いあわせでは、はげしい騒音に続いて、中央交換局からチャレンジャー教授宅の受話器が壊れたと教えられた。以後は連絡をあきらめた。

そして辛抱づよい読者には、この形で直接読んでもらうのはここまでであることをご承知願いたい。以後は（もし本稿の続きがあるなら）わが社の新聞を通じて読んでいただくしかない。この史上まれに見る大調査旅行が企図《きと》されるにいたった事情は以上にまとめ、編集員の手にゆだねておく。もし僕がイギリスへ生還できなくても、経緯について一定の記録は残るわけだ。この最後の数行はブース汽船の旅客船フランシスカ号の談話室で書いており、最後は水先案内人の手にゆだねてマッカードル氏へ届くよう手配してもらうつもりである。このノートを閉じるまえに、ここで起きた最後の光景を描写させてもらって、祖国の最後の思い出として記憶に刻みたい。晩春の霧《きり》がかかった湿った朝で、冷たい小糠雨《こぬかあめ》が降っている。濡れて光る雨具姿の三人がそんな埠頭《ふとう》を歩き、出帆旗《しゅっぱんき》をひるがえらせる大型旅客船の連絡橋をめざしている。三人のまえを行くポーターの手押し車にはトランクや梱包《こんぽう》した荷物や銃のケースがうずたかく積まれている。長身で陰気な姿のサマリー教授は、鈍《にぶ》い足どりでうなだれ、すでに深く後悔しているかのようすである。対してジョン・ロクストン卿は足どり軽く、ハンティング帽とマフラーのあいだからのぞく細面《ほそおもて》は意気揚々《ようよう》と輝いている。僕はといえば、多忙な準備と痛切な別れで目がまわるようだった日々が終わって安堵《あんど》し、その気分が態度にあらわれていただろう。そうやって僕らが船に乗りこもうとしているとき、背後からの大声に呼び止められた。チャレンジャー教授である。見送りにくると約束していた彼が、走って追いかけてきていた。息を切らし、紅潮《こうちょう》し、怒り顔である。

「いや、けっこう。船内にはいるつもりはない。いくつか言いたいことがあるだけで、ここ

でかまわん。この旅に出かける諸君に恩義を感じているとはゆめゆめ思わんでもらいたい。吾輩《わがはい》への完全なる無関心がこのようなしだいとなったのであり、感謝の念などはつゆほども持っておらん。真実は真実であり、諸君がどのような報告をもたらそうとそれは揺らがない。せいぜい多数の無能な連中の感情を高ぶらせ、好奇心を満足させるくらいだ。諸君への説明と案内を書いた指南書はこの封印した封筒にはいっている。アマゾンのマナウスという町に着いたら、表書きにしるした日時まで待って開封してもらいたい。わかったか？　この条件の遵守《じゅんしゅ》は諸君の名誉にゆだねる。そして、マローン君、きみの記事の内容に制限はもうけない。事実を公表することがこの旅の目的だからだ。ただし目的地を特定できるような詳細な描写は避けてくれ。そしてきみが帰国するまで公表は一切控えてもらう。さらばだ。きみが遺憾《いかん》ながら所属する不愉快千万な職業への吾輩の嫌悪は、きみのおかげで多少なりとやわらいだ。さらばだ、ジョン卿。きみにとって科学は封印された本のようなものだろうが、行く手に待つ狩猟場は充分楽しめるだろう。そこを勢いよく飛ぶディモルフォドンをいかにして撃ち落としたか、語る機会があるはずだ。さらばだ、サマリー教授。きみに自己啓発の能力が残っていれば――はっきりいって疑わしいと思っているが――ロンドンに帰るまでに多少なりと賢明になっているだろう」

チャレンジャー教授はきびすを返した。そして一分後には、その短身肥満のうしろ姿が揺れながら列車へ歩いていくのが遠くに見えるばかりになった。さて、船もすでに海峡に出た。

郵便物の締め切りを知らせるベルが鳴り、水先案内人がいよいよ船を離れる。ここからは、〝水平線のむこうの航路へいざ往《ゆ》かん〟だ。あとに残る人々に神のご加護を。そして僕らが無事帰還できますように。

7　明日、未知の地域に姿を消す

ブース汽船の豪華な船旅を詳しく説明するのは、この手記が届けられる読者には退屈だろうからやめておく。パラでの一週間の滞在についても同様である（装備調達についてペレイラ・ダ・ピンタ社の厚遇を受けたことは感謝とともに記しておきたい）。大西洋横断航路とさして変わらない大型汽船に乗りこみ、広闊《こうかつ》にして悠然《ゆうぜん》たる泥《どろ》色の水面を遡《そ》行《こう》した川旅についても詳述は避けよう。やがて船はオビドスの狭隘《きょうあい》部を抜け、マナウスの町に到着した。ここでは英伯《えいはく》貿易会社の代表ショートマン氏のおかげで、魅力にとぼしい地元の宿屋に泊まらずにすんだ。氏の大農園に滞在しながら、チャレンジャー教授からあずかった指南書の開封指定日を待つことができた。その当日の驚くべき出来事について書くまえに、この壮大な旅の仲間と、南米到着後に雇いいれた使用人たちについて詳しい人物描写をしておきたい。歯に衣《きぬ》着せぬ描写をするが、文言《もんごん》の始末についてはマッカードル氏におまかせする。この報告書は彼の手をへて世間の読者に届けられるはずである。

サマリー教授の科学的業績は有名であり、不肖《ふしょう》の僕でも容易に要約できるほどである。外見の印象とちがって苦難の旅への準備はできている。筋張《すじば》った長身痩軀《そうく》は疲れ知らず。無表情で少々皮肉っぽく、しばしば冷淡きわまる態度は、環境が変化しても変わらない。御年《おんとし》六十六歳でありながら、頻繁に訪れる艱難辛苦《かんなんしんく》にあっても弱音を吐かない。彼の存在が旅のさまたげになるのではとひそかに懸念《けねん》していたが、実際には僕と同程度の忍耐力を持つことがあきらかになった。性格は当然ながら辛辣《しんらつ》かつ懐疑的である。チャレンジャー教授は詐欺師にほかならないとの意見を最初から隠そうとしない。この旅は無い物ねだりの無益な行為であり、南米で得られるのは失望と危険ばかりで、帰英後に集めるのは嘲笑《ちょうしょう》ばかりであろうという考えを、痩身《そうしん》を熱烈にねじり、細い山羊鬚《やぎひげ》を振りながらサウサンプトンからマナウスまでえんえんと僕らに聞かせた。川船を下りてからは、周辺に生息する昆虫や鳥の美しさと多様さにいくらか慰《なぐさ》めをみいだしたらしい。そこは根っからの科学者である。昼は森で散弾銃と捕虫網《ほちゅうあみ》を振りまわし、夜は集めた標本を展翅《てんし》する。ささいな奇癖《きへき》としては服装に無頓着《むとんちゃく》で不潔さを気にせず、習慣にふけるときはすっかり上《うわ》の空になる。愛煙家でブライヤーパイプを口から離さない。若いころに科学調査旅行に何度か参加したことがあり（ロバートソンとギニアへ行ったこともあるそうだ）、カヌーと野営《やえい》の暮らしは慣れたものである。

ジョン・ロクストン卿には、そんなサマリー教授と似たところもあれば、正反対のところ

もある。二十歳年下でありながら、贅肉《ぜいにく》のない痩身はおなじ。外見についてはロンドンに残してきた分の手記で描写したはずである。大変におしゃれで身だしなみに気を使う。いつも白い運動服の上下に半長の茶色いモスキートブーツを履《は》き、日に一度はかならず髭《ひげ》を剃《そ》る。行動的な男らしく言葉は簡潔で、ふだんは内省的。しかし質問には即答し、会話にもすぐに加わる。話し方はあやしげでユーモアまじり。世界と、とりわけ南米についての知識には驚かされる。サマリー教授に冷笑されてもこの旅の成功の可能性を信じて疑わない。声は穏やかで態度はもの静か。しかしきらめく碧眼《へきがん》は燃える怒りと強い決意を秘めている。いずれも抑制されているからこそ物騒である。ブラジルとペルーでの過去の冒険については多くを語らない。それでも彼の姿を見た河畔《かはん》の地元住民が最強の戦士か庇護《ひご》者をみつけたように興奮しはじめたのは、僕にとって新発見だった。住民たちから赤い首長と呼ばれ、偉業が語りぐさになっている。しかし彼らから聞き出した実際の話はさらに驚くべきものだった。

ジョン卿が数年前にはいりこんだのは、ペルー、ブラジル、コロンビアの曖昧《あいまい》な国境線が接する人跡未踏《じんせきみとう》の地である。広大なこの地域の豊富なゴムの木が、コンゴとおなじく地元民を苦しめる元凶になっていた。ダリエンの銀山でスペイン人が地元民に強制労働をしいたのとおなじ構図である。地域を支配するひと握りの悪徳な混血たちが、従順な一部のインディオに武器をあたえ、それ以外に奴隷労働をさせた。凄惨《せいさん》きわまりない拷問で脅《おど》してゴムを採集させ、船でパラへ運んでいた。ジョン・ロクストン卿はしいたげられた人々のために諫言《かんげん》

したが、らちがあかず、逆に脅迫と侮辱《ぶじょく》を受けた。そこでついに奴隷監督の元締め、ペドロ・ロペスに正式に宣戦布告した。逃亡奴隷を集めて配下とし、武器をあたえ、戦った。そしてみずからの手で悪名高い混血を殺し、その搾取《さくしゅ》制度を解体したのである。

どうりでこの気やすい態度と穏やかな声の赤毛の男が、南米の大河のあらゆる川岸で大歓迎されるわけである。しかし本人は当然ながら複雑な気分らしい。彼への歓待《かんたい》の大きさは、そのまま搾取者への憎悪の大きさを意味する。とはいえこの経験のおかげでジョン卿は地域《リングア》共通語《・ジェラール》を流暢《りゅうちょう》に話せる。これは三分の一がポルトガル語、三分の二がインディオの言葉からなる混成語で、ブラジル全域で話されている。

このようにジョン・ロクストン卿は南米マニアである。この大陸について語るときはつねに情熱的だ。その情熱は伝染性があり、無知な僕は注意力を奪われ、好奇心を刺激される。その魔力的な語り口を再現できたらと思う。正確な知識とあやしい想像力が奇妙に混じりあい、聞く者を魅了する。しまいには教授のシニカルで懐疑的な笑みさえその細面《ほそおもて》から消えた。この大河が急速に探検された歴史（ペルーの初期の征服者らは川筋《かわすじ》にそって大陸を横断している）を語りながら、それでもこの不定形な川筋以外の土地は未知の世界だと強調する。

「そこになにがある?」ジョン卿は北を指さして叫ぶ。「森と沼地と未踏のジャングルだ。なにが隠れているかわからない。南はどうか？　広大な湿地の森だ。白人は足を踏みいれたことがない。右も左も未知の土地。細い川筋よりむこうのことはだれもなにも知らない。こういう地域について断言できる者がいるのか？　あのチャレンジャー老人がまちがっているとだれがいえるのか？」このように公然と挑まれると、サマリー教授の顔には意固地《いこじ》な冷笑がよみがえる。すわって冷淡に沈黙したまま、ブライヤーパイプから吐く紫煙《しえん》のむこうで皮肉っぽく首を振るのみ。

白人の二人の仲間について書くのはとりあえずここまでにしよう。その性格と短所は、もちろん僕の性格と短所とおなじく、この手記が進むにつれてあきらかになるはずである。僕らはこの時点ですでに何人かの使用人を雇いいれていた。彼らはこれ以後の展開ですくなからぬ役割をはたすことになる。一人目はザンボという名の大柄な黒人である。黒いヘラクレスといったところで、馬のように従順、知性も馬並みだ。パラの気船会社から推薦されて雇った。船上勤務の経験でたどたどしい英語を身につけている。

おなじパラで、混血のゴメスとマヌエルも雇った。いずれも上流地域の出身で、レッドウッド材を運んで下ってきたところだった。浅黒い肌で髭をはやし、荒っぽく、パンサーのように強靭《きょうじん》で活動的。二人が暮らすアマゾンの上流域はこの探検の目的地であり、その点を買ってジョン卿が雇いいれた。とくにゴメスのほうは上手な英語を話せるという長所がある。二人は一行の身のまわり担当として料理、ボート漕《こ》ぎ、その他さまざまな仕事をやる。給金は一カ月十五ドル。さらにボリビアのモホ族インディオも三人雇った。河畔の部族の例に漏れず魚釣りとボートの扱いを得意とする。リーダー格の男は部族名にちなんでモホと呼び、あとの二人はそれぞれホセとフェルナンドと呼ぶことにした。こうして白人三人、混血二人、黒人一人、インディオ三人からなる調査隊は、この奇妙な探検の始まりをつげる指南書の開封をマナウスで待っていた。

じれったい一週間がすぎて当日となり、その時間が迫ってきた。マナウス市街から二マイル（約三キロメートル）内陸にあるサンタ・イグナシオ大農園の日陰の居間を思い描いてもらいたい。屋外では黄色くまばゆい日差しが照りつけ、ヤシの影は木のシルエットと同様に黒くくっきりとしている。凪はなく、蜂《はち》の低いはばたきから蚊のかん高い羽音《はおと》まで熱帯の虫があらゆる音程でつねに空気を震わせている。ベランダのむこうには小さく開けた庭があり、サボテンの垣根の内側で低木《ていぼく》に花が咲いている。大きな青い蝶や小さなハチドリがそこを飛びまわり、きらきらと光を反射させている。屋内の僕らがかこんだ籐《とう》製のテーブルには、一通の封書がおかれている。表《おもて》にはチャレンジャー教授の癖字《くせじ》でこうある。

ジョン・ロクストン卿とその一行への指南書。
マナウスにて七月十五日十二時ちょうどに開封のこと。

ジョン卿はその隣に腕時計をおいている。
「あと七分。あの老人は時間にうるさいな」

サマリー教授は辛辣な笑みで封書に瘦《や》せた手を伸ばした。

「いま開こうと七分後だろうとなにも変わるまい。書いた男の悪評とおなじく、はったりだらけの無意味な演出の一部にすぎん」

「そうおっしゃらずにゲームのルールどおりにやりましょう。チャレンジャー老人の演出にはちがいありませんが、その意志に従ってわたしたちはここに来たんだ。指示どおりにやらないと興《きょう》ざめです」

「やれやれ、手間のかかることだ!」教授は苦々《にがにが》しげに声をあげた。「ロンドンでも芝居がかっていると思ったが、現地に来るとますます三文芝居《さんもんしばい》だ。この封書の中身は知らないが、よほど明瞭確実なことが書いてないかぎり、わしは次の下りの船に乗るぞ。そしてパラでボリビア号に乗り換える。異常者の主張に根拠がないことを証明している暇があったら、もっと世界的に重要な仕事をしたい。さあ、ロクストン、時間だ」

「時間になりましたね。出発の汽笛《きてき》を鳴らしましょう」ジョン卿は封書をとってペンナイフで封を切った。取り出したのは折りたたまれた一枚の紙。広げてテーブルで平らにのばす。白紙である。裏返すが、やはり白紙。僕らは困惑して黙りこみ、顔を見あわせた。それをサマリー教授の耳ざわりな嘲笑が破った。

「つまり自白したのだ」声をあげた。「これではっきりした。ペテンだと自分で認めている。さっさと帰国して、あいつは恥知らずの詐欺師だったと報告しよう」

「きっと見えないインクですよ！」僕は推理した。

「ちがうな」ジョン卿は紙を光にかざした。「若者よ、思いこみは無益だ。賭けてもいいが、この紙にはなにも書かれていない」

「はいってもかまわんか？」大声がベランダから響いた。

ずんぐりした影が日差しをさえぎった。その声！　並はずれた肩幅！　僕らはあわてて立ち上がり、息を呑《の》んだ。色つきリボンの丸い麦わら帽子を少年のようにかぶったチャレンジャーが――上着のポケットに両手をいれ、キャンバスシューズの爪先を伸ばして上品に歩くチャレンジャーが――目のまえの空間に登場していた。金色の光を浴びて立つのは、顔を上むけ、アッシリア人のような濃い髭を伸ばした姿。生まれつき半眼《はんがん》になった尊大なまぶたと狭量《きょうりょう》な目。

「遺憾《いかん》ながら――」時計を取り出した。「――数分遅刻したようだ。この封筒を渡したときは諸君に開封させるつもりはなかった。一時間前に合流するつもりだったのだ。不運にも遅れた原因は腕の悪い船頭《せんどう》とじゃまな砂洲《さす》にある。おかげでわが同僚に誹謗中傷《ひぼうちゅうしょう》を吐かせてしまった。なあ、サマリー教授」

「教授が来てくださって安堵《あんど》したのはたしかです」ジョン卿はややけわしい調子で言った。「でないとこの計画ははじまるまえに終わってしまうところだった。とはいえ、こんなおかしな真似をなさった理由がまったく理解できません」

答えるかわりにチャレンジャー教授は居間にはいってきた。僕とジョン卿と握手し、サマリー教授には慇懃《いんぎん》無礼なお辞儀をして、籐椅子に腰を下ろして体重できしませる。

「みんな旅立ちの準備はできているか?」教授は尋ねた。

「明日にでも」

「ならばそうしよう。行き先をしめす地図など不要だ。吾輩《わがはい》という最高の案内人がいるのだからな。この調査隊は最初から自分で率いるつもりだった。知ってのとおり、いかに精巧な地図でもこの知性と助言にはかなわぬ。この封書にささやかないたずらをしかけた理由は、こうでもしないと長旅を諸君と同道して不愉快な空気に耐えるはめになるからだ」

「こちらこそお断りだ」サマリー教授は本気で声を荒らげた。「大西洋を渡る船はべつがいい」

チャレンジャーは毛むくじゃらの大きな手を振ってあしらった。

「同道を回避した理由は常識で考えればわかるだろう。吾輩は一人で移動し、いざというときに合流するのがいちばん。それがいまだ。あとは大船に乗ったつもりでいろ。目的地にたどり着けないという心配はもうない。これから先は吾輩が調査隊を指揮する。今夜じゅうに準備を整えたまえ。明朝早くに出発する。吾輩の時間は貴重だし、諸君の時間も程度は劣れど同様であろう。道中はできるかぎり急ぎ、諸君が見るべきものをお目にかけよう」

ジョン・ロクストン卿が大型の汽艇《きてい》エスメラルダ号を借り上げており、これで川を遡行する予定になっていた。今回の調査行にどの季節を選んでも寒暖という点では大差ない。夏でも冬でも気温は華氏《かし》七十五度から九十度(摂氏約二十四度から三十二度)のあいだで、体感的にさほど変わらない。ただし降水はこのかぎりでない。十二月から五月までは雨季で、この時期に川の水位は徐々に上がって、最後は低水位点より四十フィート(約十二メートル)近くも高くなる。川岸を越えて溢水《いっすい》し、広大な荒蕪地《こうぶち》を水浸《みずびた》しにして、地元でガポと呼ばれる大規模な沼沢地《しょうたくち》を形成する。そのほとんどは徒渉《としょう》するにはぬかるみすぎ、ボートで渡るには浅すぎる。六月頃から水は引きはじめ、十月から十一月に最低水位になる。ゆえに調査行の季節は乾季が選ばれた。大河と支流がおおむね通常の状態になるからである。

川の流れはゆるやかで、高低差は一マイルあたり八インチ(およそ一・六キロあたり二十センチ)しかない。これほど往来が楽な川はない。いつも南東の風が吹いているので、帆を張れば勝手にペルー国境まで行くし、帰りは流れにまかせて下ればよい。僕らの場合はエスメラルダ号の力強い蒸気機関がゆるい流れなどものともせず、まるで湖の静水面を渡るごとく急速に進むことができた。そうやって三日間遡行して河口から千マイル(約千六百キロメートル)に達しても、まだ川幅は広大で両岸は遠い水平線の影としてかすかに見えるのみである。マナウスを発《た》って四日後に、ある支流にはいった。合流点では本流とおなじくらいの川幅だったが、その先は急速に細くなった。そして二日遡行したところであらわれたインディオの村で、教授から上陸を指示され、エスメラルダ号はマナウスへ帰された。川はこの先で早瀬が続くので汽艇による遡行はここまでだという。さらに教授が密かに告げるところによれば、未知の地域への入り口が近いので秘密を共有する同行者は少ないほどいい。またおなじ理由から、僕らは目的地の位置について正確な手がかりになることは他言せず、出版物にも書かないとあらためて誓わされた。使用人たちも同様のことをまじめな顔で誓った。そのためこの手記の記述も一部曖昧にならざるをえない。地図や見取り図では、相対的な位置関係は正確だが、方位記号は意図的にずらしていることを読者はご承知願いたい。この地域への案内図としては役立たないようにするためである。チャレンジャー教授の秘密主義が正当であるかどうかはともかく、僕らは従わざるをえない。道案内の条件を変更するくらいなら教授はこの調査行そのものをやめてしまうだろう。

外界との最後の接点であるエスメラルダ号に別れを告げたのは八月二日。それから四日のうちに、インディオから大型カヌーを二艘《そう》借りる算段をした。カヌーはきわめて軽量な素材でできており（竹の骨組みに皮張り）、障害物はかついで迂回《うかい》できる。荷物もすべて載せている。カヌーの漕ぎ手としてさらに二人のインディオを雇った。アタカとイペチュという名のこの二人は、チャレンジャー教授の前回の旅にも同行したらしい。再訪と聞いて恐れをなしたが、この地域では首長が絶対権力者であり、彼が報酬を充分とみなせば部族の一員は逆らえない。

というわけで、僕らは明日、未知の地域に姿を消す。この手記は川を下るカヌーに託す。

僕らの運命に関心を持つ人々に届く最後の消息になるかもしれない。約束にしたがってマッカードル編集員宛に送るので、削除も書き換えもご随意《ずいい》に願いたい。サマリー教授はまだ懐疑的な態度だが、チャレンジャー教授の自信たっぷりの態度から、僕はこの隊長の主張に疑いを持たなくなっている。驚くべき経験は目前に迫っているはずである。

8　新世界の前線の哨兵《しょうへい》

祖国の友人たちはよろこんでもらいたい。僕らは目的地に到達した。すくなくともチャレンジャー教授の主張の正しさを確認できるところまで来た。まだ台地には上がっていないが、目のまえにある。サマリー教授さえこれには粛然《しゅくぜん》としている。論敵が正しいとは一言も認めないものの、執拗な反論を控え、黙然《もくねん》として聞き手にまわることが多くなっている。僕はまず前回の中断点から手記を続けよう。負傷した地元のインディオの一人を帰すことになったので、この手紙を託す。宛先に無事に届くかどうかははなはだ心許《こころもと》ないが、しかたない。

前回最後に書いたのはエスメラルダ号から降りて、インディオの村を出発するところまでだった。今回の手記は悪い報告からはじめなくてはならない。人間関係の深刻な問題（二人の教授の日常的な口論はのぞく）がその夜初めて起きたのである。そして悲劇的な結末をもたらしかねなかった。英語を話す混血のゴメスについてはすでに書いたと思う。言うことをよく聞く働き者だが、このような使用人はえてして好奇心という悪徳に染まっているものである。前夜、僕らが計画を話しあっているのを小屋のそばにひそんで聞き耳を立てていたらしく、それを黒人の巨人ザンボに見とがめられた。ザンボは犬のように忠実無比で、黒人の例に漏れず混血嫌いである。そんなザンボはゴメスを僕らのまえに引きずり出した。ゴメスはナイフを抜いたが、拘束するザンボの力が強く、片手で武装解除された。そうしなければ刃傷沙汰《にんじようざた》になっていただろう。叱責《しつせき》し、両者に命じて握手させて事件は終わった。あとは丸くおさまるはずである。老人学識者二人の確執《かくしつ》のほうは、まだ継続中である。昨夜はチャレンジャーははなはだ挑発的だが、サマリーも辛辣《しんらつ》な言葉で空気を険悪にする。昨夜はチャレンジャーが、テムズ川ぞいの堤防道路を歩いて川面《かわも》を眺めることはしない、なぜなら自分の行く末が見えて寂しくなるからだと言った。これは、いずれ自分はウェストミンスター寺院に葬《ほうむ》られるという意味である。するとサマリーは皮肉っぽい笑みを浮かべて、ミルバンク監獄は取り壊されたはずだがと言い返した。チャレンジャーはその過大な自尊心をいたく傷つけられ、髭《ひげ》の口もとを笑みの形にゆがませて、「そうか、そうか！」と子どもを哀れむ口調でくり返した。実際、この二人は子どもである。一方は皺《しわ》だらけで辛辣、もう一方は巨体で傲慢。しかしいずれも科学時代の最先端をになう頭脳を持つ。頭と性格と魂《たましい》――これらはまったく別物であることが人生を知るほどにわかってくる。

翌日からこの驚くべき調査旅行が本格的にはじまった。荷物はすべて二艘《そう》のカヌーに容易におさまり、一行は六人ずつ分乗した。二人の教授を分けたのは平和維持のために当然の配慮である。僕はチャレンジャーと同舟《どうしゅう》となった。彼は聖人のように上機嫌で、動作も穏やかで恍惚《こうこつ》として、顔全体が慈愛で輝いている。しかし僕は異なる気分の教授を知っているので、この太陽が突然黒雲におおわれても驚かない。安心できないかわりに退屈もしない。いつ癇《かん》癪玉《しゃくだま》を破裂させるかと疑い、恟々《きょうきょう》としている。

二日間は比較的大きな川を遡行《そこう》した。川幅は数百ヤードあり、黒く見える水は透明で、おおむね川底まで見通せる。アマゾンの支流は半分がこのような水質で、もう半分は白濁《はくだく》している。ちがいは流域の地質による。黒い水は腐葉土《ふようど》が多い証拠で、白い水は粘土《ねんど》質の存在をしめしている。早瀬に二度遭遇し、そのたびに半マイル（約八百メートル）ほどカヌーをかついで迂回《うかい》した。両岸は原生林で、二次林《にじりん》より足を踏みいれやすく、カヌーをかついで容易に通り抜けられた。その荘厳《そうごん》な神秘は忘れがたい。幹《みき》まわりと樹高は都会育ちの僕の想像をはるかに超える。巨大な円柱のようにそびえ、とてつもない高さに至ってようやく枝が出て、ゴシック建築のようなカーブを逆さに描いて伸びているのがかすかに見える。枝は渾然《こんぜん》一体となって鬱蒼《うっそう》たる緑の屋根をなしている。日差しはごくたまに金色のきらめく線となって地上に届くだけで、あとは深い闇である。朽《く》ちた植物の厚く柔らかな絨毯《じゅうたん》を踏み、音もなく歩くと、だれの心もウェストミンスター寺院の幽暗《ゆうあん》にいるような静寂につつまれる。いつも大《だい》音声《おんじょう》のチャレンジャー教授さえ声をひそめる。これら巨木の名を知らないのは僕ばかりで、科学者の二人は、杉、カポックの巨木、レッドウッドなどと指さし教示してくれた。このように多種多様な植物が繁茂《はんも》するこの大陸は、人類にとって自然の恵みの最大の供給源である。動物性の原料からなる製品ももとをたどればすべて植物界の恩恵に頼っている。美しい蘭《らん》や色鮮やかな地衣《ちい》類が浅黒い幹をおおい、揺れ動く光条《こうじょう》が金色のアラマンダや星形の緋《ひ》色のトケイソウや濃紺《のうこん》のイポメアに落ちるさまは、まるで夢みる妖精の国である。森の下の暗黒は不毛の地である。植物は闇を嫌い、光を求めて伸びる。いかに小さな植物も緑の表面を這《は》って蔓《つる》や巻きひげを伸ばし、より高く強い仲間にすがりつく。攀縁《はんえん》性植物はもちろん巨大に茂っているが、通常は蔓を伸ばさない種類でもここでは闇から逃れるためによじ登る性質を獲得している。一般的なイラクサやジャスミンやジャシタラヤシさえも、杉の幹に巻きついて樹冠《じゅかん》へ這い上がろうとする。動物については、荘厳な穹窿《きゅうりゅう》の下の通路を歩く僕らのまわりに動くものは見あたらない。しかしはるか頭上にはつねに動きがあり、蛇《へび》や猿や鳥やナマケモノが無数に住む世界があるらしい。彼らは燦々《さんさん》たる光のなかで暮らし、はるか下界の晦冥《かいめい》の底でうごめく暗く小さな影を不思議な目で見下ろしている。夜明けや日没にはホエザルが鳴き騒ぎ、インコのけたたましい鳴き声が響く。しかし暑い昼間に聞こえるのは無数の虫の羽《は》音《おと》と遠い水音《みずおと》ばかり。押し包む闇と巨大な幹がどこまでも連なる荘厳な眺めのなかで動くものはない。一度だけアリクイか熊か、四本足でよたよたと歩く影が闇の奥を横切るのが見えた。アマゾンの大森林で見かけた動物はそれだけである。

そんな神秘の奥地にありながら、人間の生息地がさほど遠くないことをしめす証拠もあった。三日目に、空気を震わせる奇妙な低い音に気がついたのである。リズミカルで厳粛《げんしゅく》で、朝まで断続的に続いた。最初に聞こえてきたとき、二艘のカヌーは数ヤードの間隔でパドルで漕《こ》いでいた。インディオたちは太鼓《たいこ》を耳にしたとたん、銅像に変じたように動きを止め、恐怖の表情で聞きいった。

「あれはなに？」僕は尋ねた。

「太鼓さ」ジョン卿はこともなげに答えた。「戦いの太鼓だ。まえに聞いたことがある」

「そうだ、戦いの太鼓」混血のゴメスも言った。「未開のインディオ、凶悪でおとなしくない。ずっと見張ってる、いつでも殺せる」

「どうやって見張るんだ？」なにも動かない闇に目をこらして僕は尋ねた。

混血は大きな肩をすくめた。

「インディオはわかる。方法がある。見張ってる。太鼓で話す。いつでも殺せる」

その日、僕の携行日記によれば八月十八日火曜日の午後には、すくなくとも六、七個の太鼓がさまざまな方角から聞こえてきた。速いリズムのもあればゆっくりの音もある。あきらかに質問と応答のやりとりもある。はるか東の太鼓が急速な断続音を鳴らし、一拍《いっぱく》おいて東から低い連打音が応じる。その間断ないつぶやきにはいわくいいがたい威圧感があり、神経を逆なでされる。太鼓の音に混血の言葉が重なって反復する。「いつでも殺せる、いつでも殺せる」静寂の森で動くものはない。植物のカーテンにおおわれた大自然は穏やかで平和。しかしその奥から、自分たちの仲間の声でメッセージが聞こえてくる。「いつでも殺せる」と東の連中が言うと、「いつでも殺せる」と北の連中が応じる。

太鼓の音は一日じゅう低く小さく聞こえ、肌の黒い仲間の顔には恐怖が浮かんだ。大柄でいつも偉そうな混血さえおびえている。しかしサマリーとチャレンジャーは高度な種類の勇気をそなえていることがその日はわかった。科学的精神という勇気である。アルゼンチンで荒くれ牧童《ぼくどう》のガウチョにかこまれたダーウィンや、マラヤの首狩り族に遭遇したウォレスとおなじ勇気といえる。人間の脳は二つのことを同時にできないと慈悲深い自然はさだめている。科学的好奇心が高まると、身の安全のような些事《さじ》は気にしなくなる。正体不明で威圧的な太鼓が終日響くなかで、二人の教授は舞い飛ぶ鳥や河岸の低木《ていぼく》を見ながら舌鋒《ぜっぽう》鋭く論争していた。サマリーは不機嫌に指摘し、チャレンジャーは低くやり返す。あたかもセントジェームズ街の英国学士院クラブの喫煙室でくつろいでいるごとく、危険もインディオの太鼓も他人事のようす。わずかに議論の俎上《そじょう》にのせたときも次の具合である。

「食人文化をもつミラニア族かアマワカ族かな」チャレンジャーは太鼓の聞こえる森を親指でしめした。

「まちがいないな」サマリーは答えた。「こういう部族は多総合的言語の蒙古《もうこ》人種と相場が決まっている」

「多総合的言語はたしかに」チャレンジャーは鷹揚《おうよう》に答えた。「この大陸の言語はすべてそれで、百以上の記録をとっている。しかし蒙古人種説についてはおおいに懐疑的だ」

「ちょっとした比較解剖学の知識があれば充分に立証できる」サマリーは苦々《にがにが》しげに言った。するとチャレンジャーは突き出た顎《あご》を上げ、髭と帽子の鍔《つば》しか見えなくなった。「ちょっとした知識しかないからそうなる。網羅的な知識があればべつの結論になる」両者は不愉快げににらみあう。そのあいだも周囲からは遠いささやきが聞こえている。「いつでも殺せる、いつでも殺せる」と。

その夜は重い石を錨《いかり》にしてカヌーを流れの中央にとどめ、襲撃にそなえた。なにごともなく夜は明け、さらに上流へ遡行していくと太鼓の音は後方に遠ざかった。その午後三時頃に、一マイル（約一・六キロメートル）以上も続く非常な早瀬の連続にぶつかった。チャレンジャー教授が最初の旅で災難に見舞われた場所である。僕はこれを見てむしろ安堵《あんど》した。ささやかとはいえ話の真実性を裏付ける最初の直接証拠だからである。インディオたちは深い藪《やぶ》を分けてまずカヌーを運び、あとから荷物を運んだ。白人の四人はそれぞれライフルをかついで彼らのあいだを歩き、森の奥からの危険にそなえた。こうして暗くなるまえに無事に早瀬区間を突破した。そこから十マイル（約十六キロメートル）ほど遡行したところで錨を下ろして停泊した。僕の計算では、支流にはいってからこの地点までに百マイル（約百六十キロメートル）近くさかのぼったはずである。

翌日は午前の早い時間に意気揚々《ようよう》と出発した。明け方からチャレンジャー教授は気もそぞろで、両岸にたえず目を走らせていた。そしてふいに満足げな叫びをあげて、一本の木を指さした。川の上に独特の角度で突き出ている。

「あれはなんだと思う？」チャレンジャーは尋ねた。

「アサイヤシだな」サマリーは答えた。

「そのとおり。吾輩《わがはい》が目印にしているアサイヤシだ。そこから半マイル（約八百メートル）遡《さかのぼ》った対岸に秘密の入り口がある。樹木の列に切れめはない。そこが不思議で謎めいている。あそこだけ濃い緑の下生《したば》えではなく、薄緑の藺草《いぐさ》が生えているだろう。大きなハコヤナギのあいだだ。あれが未知の世界への秘密の入り口だ。はいってみればわかる」

そこは素晴らしい場所だった。薄緑の藺草が一列に生えたところに着き、二艘のカヌーの舳《へ》先《さき》を分けいらせた。パドルを棹《さお》のように使いながら数百ヤード進むと、ふいに穏やかな浅い流れに出た。水は澄んで砂の川底が見える。川幅は二十ヤード（約十八メートル）ほど。両岸は鬱蒼とした植物だ。川岸の低木が藺草に変わっているところを近くから観察しないかぎり、その奥にこんな流れがあって、妖精の国のようになっているとは気づかないだろう。

まさしく妖精の国。空想のかなたの桃源郷《とうげんきょう》である。茂った植物は頭上で接してからみあい、天然の緑廊《りょくろう》をつくっている。金色の薄明につつまれたその緑のトンネルのなかを、緑の透明な川が流れている。それだけでも美しいのに、枝葉を通過してやわらいだ鮮やかな光がさして不思議に色づいて見える。水晶のように澄み、鏡のように静かで、氷山のように淡い緑色。それが葉のアーチの下を前方へ延び、パドルで漕ぐたびに輝く水面に無数の波紋が広がる。驚異の世界への通り道にふさわしい。インディオの気配は消え、かわりに動物を頻繁に見かけるようになった。猟師を知らず、人を恐れない。黒く滑《なめ》らかな毛並みの小さな猿は、真っ白な歯とひょうきんな輝く目をむけ、通りすぎる僕らになにごとか鳴きかける。ときおり鈍《にぶ》く重い水音とともにカイマンが岸から飛びこむ。藪のすきまからは黒っぽく不格好なバクが顔をのぞかせ、森の奥へのそのそと歩き去る。ピューマの大きくしなやかな体が藪のあいだを走り抜けていったこともあった。その黄色い肩ごしに緑の凶暴な目がこちらをにらむ。鳥も種類豊富で、とくに渉禽《しょうきん》類が多い。コウノトリ、サギ、トキがそれぞれ小さな群れをつくり、岸から突き出た倒木《とうぼく》の上で青、緋色、白の羽根を休めている。澄んだ水中をのぞけばあらゆる色と形の魚が泳いでいる。

柔らかな緑の光に包まれたこのトンネルを三日間進んだ。ここまで来ると、このはるかな緑の流れがどこから始まり、どこで終わっているのか見当がつかなくなる。どこまでも平穏なこの不思議な水路には人の気配がなかった。

「インディオいない。怖いから、クルプリが」ゴメスが言った。

「クルプリは森の精霊だ」ジョン卿が説明した。「あらゆる種類の魔物をさす総称だ。あわれなインディオたちはこの方角に恐ろしいものが住むと考え、近寄らなかった」

三日目にはカヌーの旅もそろそろ終わりに近づいた。流れが急に浅くなり、二時間で二回カヌーが川底を打った。しかたなくカヌーを藪のあいだに引き上げ、そこで一晩すごした。翌朝ジョン卿と僕は流れと平行に森のなかを二マイル（約三・二キロメートル）ほど進んだ。流れは浅くなる一方だったので、帰ってそのように報告した。チャレンジャー教授にとっても予想どおりで、ここがカヌーで遡《さかのぼ》れる最高点だった。カヌーを藪の奥深く引きこんで隠し、帰路にみつけやすいように木に斧《おの》で目印をつけた。各種の荷物は分担した。銃、弾薬、食料、テント、毛布、その他に分けてかついだ。ここからがもっとも過酷な旅程である。

しかもこの旅程の初《しょ》っぱなに、調査隊の二つの癇癪玉による不運な口論が勃発《ぼっぱつ》した。チャレンジャーが合流して以来、指揮権を奪われているサマリーが不満をためこんでいた。そして一部の荷物を分担させられるにいたって（といってもたかだかアネロイド気圧計一個である）、突然我慢の限度を超えたらしい。

「僭越《せんえつ》ながらうかがいたいが」サマリーは険悪な声を抑えて尋ねた。「いったいいかなる資格でこれらの命令を発しているのだね？」

チャレンジャーは髭を逆立ててにらんだ。

「もちろん、サマリー教授、この調査隊の隊長としてである」

「では遺憾《いかん》ながら申しあげるが、わしはそのような資格を貴君《きくん》に認めた覚えはない」

「なるほど！」チャレンジャーは大きな皮肉をこめてお辞儀をした。「では吾輩《わがはい》の立場をご教示願いたい」

「よかろう。貴君は主張を審理される立場であり、審理しているのはこの委員会だ。きみは裁判官とともに歩いているのだよ」

「なんと！」チャレンジャーはカヌーの縁《へり》に腰かけた。「ならば貴兄は勝手に歩かれるがいい。吾輩はのんびりついていくとしよう。隊長でないなら道案内などせんぞ」

さいわいにも調査隊には正気の二人――ジョン卿と僕がいる。学識者の教授たちの短気や愚行《ぐこう》のせいで手ぶらでロンドンへ帰るはめになるのを防ぐのが僕らの役割である。反論、懇願《こんがん》、説得と手をつくしてなんとか二人のご機嫌をとった。サマリーは冷笑を浮かべた口もとにパイプをくわえてようやく歩きだし、チャレンジャーは愚痴《ぐち》と不満を漏らしながらついていった。今回はさいわいなことに、われらが碩学《せきがく》の長老たちはエディンバラ大学のイリングワース博士を敵視していることが判明した。それからはこの話題が安全弁となった。険悪な空気が漂うたびにこのスコットランド人動物学者の名前を引きあいに出せば、教授たちは共通の敵への嫌悪と罵倒《ばとう》を口にして、一時的な友情と同盟関係を結ぶのである。

川岸を一列に歩いていると、小川はまもなくただの細い流れになり、ついにはスポンジ状の苔《こけ》におおわれた広い緑の湿地に消えた。歩く足は膝《ひざ》まで沈み、空中は蚊をはじめとする害虫が雲霞《うんか》のごとく飛びまわり、一行はほうほうのていで固い地面に上がった。森を歩いてこ

の狙獗をきわめる湿地を迂回したが、遠ざかってもなおオルガンが鳴るように羽音がうるさく響いていた。

カヌーを降りて二日目、土地のようすが変わりはじめた。道はつねに上り坂で、標高が上がるにつれて森はまばらになり、鬱蒼とした熱帯雨林ではなくなった。アマゾンの沖積平原《ちゆうせき》をおおう巨木ではなく、ナツメヤシやココヤシがまばらな木立をつくり、そのあいだを深い藪がおおう。湿った窪地《くぼち》ではオオミテングヤシが優雅に葉を垂らしている。針路の決定はコンパス頼みだったが、チャレンジャーと二人のインディオのあいだで二度ほど意見が対立した。そして憤然《ふんぜん》たる教授の弁によれば、〝現代ヨーロッパ文化の最先端製品よりも、未開の蛮族のあてにならない本能を信用する〟ことになったらしい。その正しさが証明されたのは三日目で、チャレンジャーは前回の旅で確認したいくつかの目標物が見えたと認めた。ある場所では焦《こ》げた四個の石を発見した。野営《やえい》の焚《た》き火跡《あと》である。

道は上り坂が続く。石だらけの斜面を渡るのに二日かかった。周囲の植生はふたたび変わった。高木《こうぼく》はゾウゲヤシだけになり、あとは大量の美しい蘭である。ヌットニア・ベキシラリアという学名らしい珍種や鮮やかなピンクと鮮紅色《せんこうしよく》のカトレヤやオドントグロッサムが咲いている。そのあいだをときおり小川が流れる。小石の川底とシダが垂れた岸にはさまれ、丘陵《きゆうりよう》地の浅い谷で水音をたてている。岩にかこまれた池のほとりは毎晩のキャンプ地に最適だった。形も大きさもイギリスの鱒《ます》くらいの青背魚《あおせざかな》が泳いでいて、いい夕食になった。

カヌーを乗り捨ててから九日目、僕の計算では百二十マイル（約百九十キロメートル）ほど進むと、森が終わりはじめた。木は低くなり、ただの藪に変わった。かわりにあらわれたのは生《お》い茂る竹林《ちくりん》である。あまりに密生しているのでインディオの山刀《さんとう》や鉈鎌《なたがま》で切り開いて通るしかない。これはとても時間がかかった。この障壁を抜けるために朝七時から夜八時まで、あいだに一時間の休憩を二度はさんだだけで働きつづけた。とにかく単調で疲れた。開けた場所でも視界がきくのは十ヤードから十二ヤード（約九メートルから十一メートル）くらい。たいていは前にいるジョン卿のコットンジャケットの背中にさえぎられ、両側は一フィート（約三十センチ）以内に黄色い竹の壁が迫っている。上からはナイフのように細い日差しが落ちてくる。見上げれば高さ十五フィート（約四・五メートル）のところで竹の葉が濃い青の空を背景に揺れている。これほどの密な竹林に動物が棲《す》んでいようとは思わなかったが、重く大きな動物がすぐ近くから逃げていく音が聞こえた。野牛《やぎゅう》の一種だろうとジョン卿は推測した。夜闇《よやみ》が落ちるまえにようやく竹林を突破した。すぐにキャンプを張って一日酷使して疲れた体を休めた。

翌朝早くからまた歩きだした。土地のようすはふたたび変わった。背後は竹林の壁で、川の流れのようにくっきりした帯をなしている。前方はゆるやかに上っていく開けた地面で、ところどころに木生《もくせい》シダが固まって生えている。その先は鯨《くじら》の背のような長い尾根だ。昼頃までにそこに上ると、むこうは浅い谷をはさんで、ふたたびゆるやかな上りになり、低い曲線の稜線《りょうせん》になっている。この最初の丘を越えていくときに事件が起きた。それが重要な出来事だったかどうかはいまも不明である。

二人の地元インディオと先頭を歩いていたチャレンジャー教授が急に足を止め、興奮したようすで右を指さした。その方向一マイル（約一・六キロメートル）ほどのところに、大きな灰色の鳥のようなものが見えた。ゆっくりとはばたいて地面から離れ、きれいに滑空《かっくう》する。低くまっすぐ飛んでいる。やがてその姿は木生シダのむこうに消えた。

「見たか？」チャレンジャーは歓喜の声をあげた。「サマリー、見たか？」

同僚の教授はいまの動物が消えた場所を見つめている。

「あれがなんだときみは主張するのかね？」

「吾輩が信じるに、プテロダクティルスだ」

サマリーは大きな嘲笑《ちょうしょう》を響かせた。

「くだらん！　あれはコウノトリだ。まちがいない」

チャレンジャーは怒りで言葉を失い、黙って荷物をかつぎなおして先へ歩きだした。しかしジョン卿がいつになく真剣な顔で僕の隣へやってきた。手にはツァイスの双眼鏡を握っている。

「木陰に消えるまえにピントをあわせられた。あれがなにか断言はできないが、スポーツマンの名誉にかけて、これまでに見たいかなる鳥ともちがう」

この問題は未解決のままになった。僕らは未知の世界のとば口に立っているのだろうか。隊長がいう失われた世界の前線の哨兵に遭遇したのか。読者には起きたことをありのままに伝え、僕が知ったことはすべて教えよう。この事件はそれっきりで、重要な発見だったとしてもふたたび姿を見ることはなかった。

さて、ここまで読者とともに大河を遡り、藺草《いぐさ》の目隠しを通過し、緑のトンネルを抜け、ヤシの生えた斜面を上がり、竹林の障壁を突破し、木生シダの丘陵を渡ってきた。その先についに目的地が姿をあらわした。二つ目の尾根の先にはヤシが不規則に生えた平原が広がり、その奥に、あの絵で見た赤い断崖絶壁がつらなっていた。いまこれを書いている僕のまえにそれはある。まちがいなく絵とおなじものである。現野営地からもっとも近いところで約七マイル（約十一キロメートル）。両側はカーブしながら目の届くかぎり続いている。チャレンジャーはもはやクジャクのようにふんぞり返っている。サマリーは黙然としてまだ懐疑的なようす。しかしあと一日たてば疑いの一部は解消されるだろう。折れた竹に腕を刺し貫かれたホセがどうしても村へ帰ると言うので、この手紙を預けて送ってもらうことにした。無事に届くことを願うしかない。次の機会にまた書くつもりである。おおまかな旅程をしるした地図を同封するので、読者の理解の助けになることを期待している。

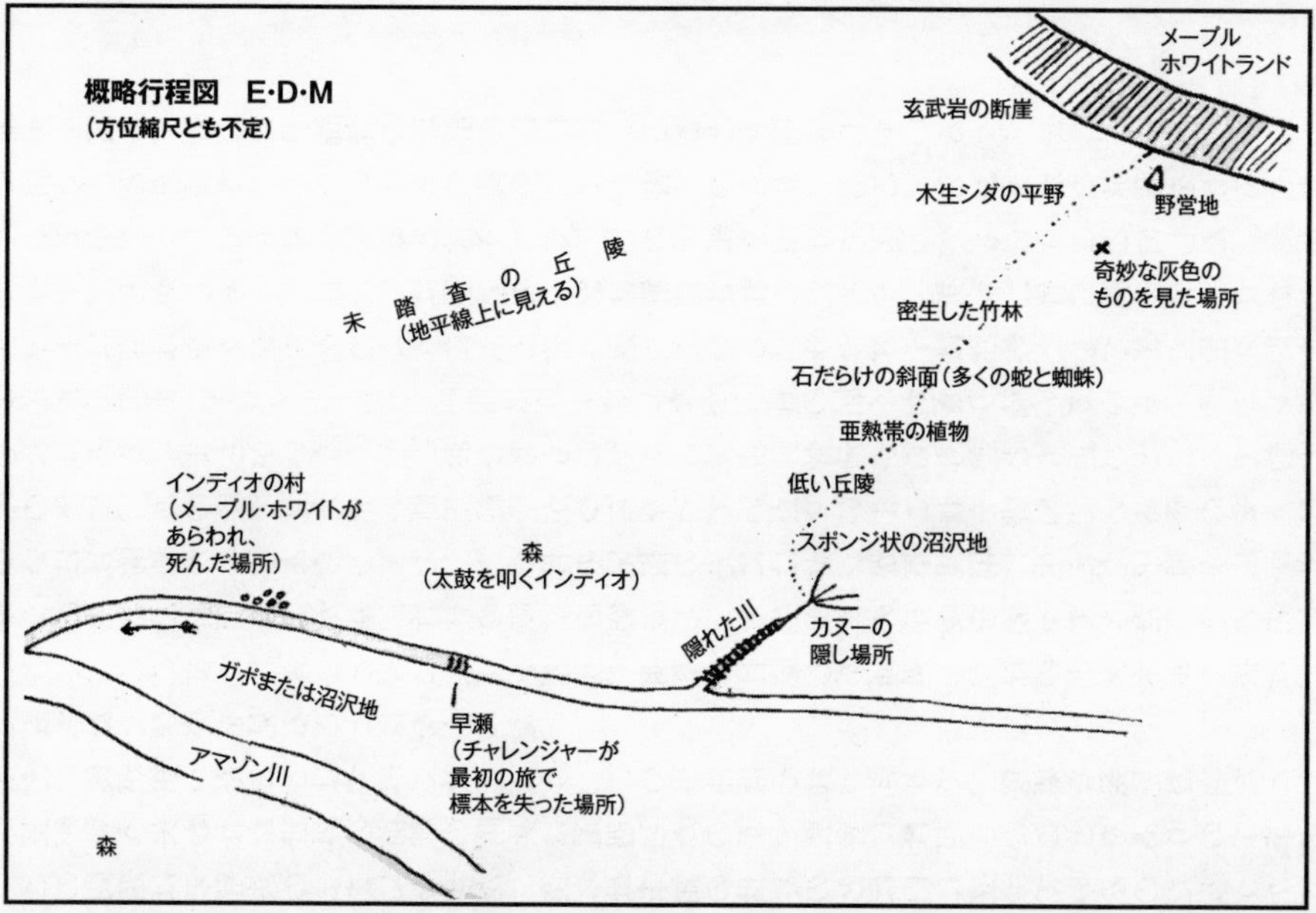

概略行程図　E·D·M
（方位縮尺とも不定）
メープル
ホワイトランド
玄武岩の断崖
木生シダの平野
野営地
奇妙な灰色の
ものを見た場所
未　踏　査　の　丘　陵
（地平線上に見える）
密生した竹林
石だらけの斜面（多くの蛇と蜘蛛）
亜熱帯の植物
低い丘陵
スポンジ状の沼沢地
インディオの村
（メープル・ホワイトが
あらわれ、
死んだ場所）
森
（太鼓を叩くインディオ）
隠れた川
カヌーの
隠し場所
ガポまたは沼沢地
早瀬
（チャレンジャーが
最初の旅で
標本を失った場所）
アマゾン川
森

9　だれが予測できただろうか

恐ろしいことが起きた。だれが予測できただろうか。この問題がいかなる結末を見るかわからない。この奇妙な孤絶《こぜつ》の地で残り一生をすごすはめになるのか。僕もまだ混乱し、現在の状況や将来の可能性をはっきりと考えられずにいる。狼狽《ろうばい》した頭では過剰に恐ろしく思えたり、真っ暗闇に見えたりする。

ありえない最悪の状況だ。いまさら正確な地理情報を開示して友人たちに救援を要請しても、まにあわない。たとえ救援隊が送られても、南米に着くまえに僕らの運命は決まっているだろう。

人間の助けが届かないという意味では、月にいるのとおなじである。勝機は自助努力にしかない。さいわい優秀な三人の仲間がいる。最高の頭脳となにごとにも動じない勇気がそろっている。これが唯一の希望である。毅然《きぜん》とした仲間の顔を見ると暗夜《あんや》に光を見る思いだ。僕もうわべはつとめて平然としている。しかし内心は不安でいっぱいである。

この悲劇にいたった一連の出来事をできるだけ詳しく説明しよう。

前回の手紙の最後では、巨大な赤い断崖の列から七マイル（約十一キロメートル）のところにいると書いた。この断崖はたしかにチャレンジャー教授の台地をぐるりと取り巻いているらしい。近づくともっと高く見えるところもある。場所によっては千フィート（約三百メートル）以上ありそうだ。奇妙な縦筋《たてすじ》があるのは隆起した玄武岩《げんぶがん》の特徴なのだろう。エディンバラのソールズベリー・クラッグスとよく似ている。頂上には鬱蒼《うっそう》とした植生が垣間《かいま》見える。藪《やぶ》が崖のきわまで生え、その奥には高木《こうぼく》が並んでいる。動物の姿はいまのところ見あたらない。

その夜は崖の下で野営《やえい》した。とても荒涼とした場所だ。断崖は垂直どころか頂上付近で反《そ》っているので、登攀《とうはん》の可能性は論外だ。近くに高く細い岩の尖塔《せんとう》がある。この手記の序盤で言及したものだ。まるで赤く大きな教会の尖塔のようで、頂上は台地とほぼおなじ高さ。ただし大きな間隙《かんげき》で分断されている。頂上には高い木が一本生えている。このあたりでは断崖も尖塔も比較的低く、せいぜい五、六百フィート（約一五〇〜一八〇メートル）だろう。

「あれにプテロダクティルスが止まっていた」チャレンジャー教授はその木を指さした。「岩壁を半分まで登って撃ち落とした。吾輩《わがはい》くらいの練度の登山家なら頂上まで登れるだろう。ただし台地の側の崖は無理だ」

チャレンジャーがプテロダクティルスの話をしている脇で、僕はサマリー教授を横目で見た。わずかながら信用し、考えなおしている気配があった。薄い唇《くちびる》に冷笑はなく、かわりに驚きと興奮がかすかに浮かんでいる。チャレンジャーもこれを見てとり、勝利の感触に気をよくした。

「もちろんサマリー教授はわかっていたのだ。吾輩がプテロダクティルスと言ったのは、本当はコウノトリのことだと」チャレンジャーは不自然でぎこちない皮肉を言った。「ただし羽根ははえておらず、体表は皮で、翼は飛膜《ひまく》で、口に牙《きば》をはやしたコウノトリだがな」にやりと笑ってまばたきし、同僚にお辞儀をした。サマリー教授は背をむけて歩き去った。

翌朝、コーヒーとキャッサバのつつましい朝食――食料は倹約している――のあと、作戦会議を開いた。議題はいかにして台地へ上がるかである。

チャレンジャーはあたかも王座部首席裁判官のように荘重《そうちょう》にかまえていた。岩の上にすわった姿を想像していただきたい。男の子がかぶるようなおかしな麦わら帽子を頭のうしろに斜めに引っかけ、半眼《はんがん》に開いた傲岸《ごうがん》な目つきで一行を睥睨《へいげい》し、黒い髭《ひげ》を振り立て、現在の状況と今後の行動をおもむろに決めていくのである。

その足下にはまず僕ら三人が控えている。日焼けした若い顔で屋外活動にも元気な僕。粛《しゅく》然《ぜん》としながらも批判的でパイプを口から離さないサマリー教授。刃物《はもの》のように明敏《めいびん》で、しなやかな体を油断なくライフルにあずけたジョン卿。その鋭い目は演説者をひたと見すえている。僕らの背後には使用人たちが固まっている。浅黒い混血の二人と数人のインディオ。その正面に見上げる高さまでそびえているのが、縦筋のある赤く巨大な障壁である。これに行く手をはばまれている。

「言うまでもないが、前回訪問時にはこの絶壁を登ろうと手をつくした」隊長は話しはじめた。「吾輩が登れなかったところを余人《よじん》が登れるとは思わぬ。これでもいっぱしの登山家なのだ。前回は岩登りの道具を持たなかったが、今回は念のために荷物に加えている。それを使えば独立した尖塔の頂上まで登れるだろう。しかし本体の絶壁にはオーバーハング部があるので試みるだけ無駄だ。前回は雨季が迫り、食料も逼迫《ひっぱく》していた。そのため時間的余裕がなく、崖ぞいに調査できたのは東へ約六マイル（約十キロメートル）まで。台地へ上がれそうなルートはみつからなかった。さて、今回はどうする？」

「理屈の上から道は一つだろう」サマリー教授が言った。「きみが東を調べたのなら、われわれは西へ崖ぞいを調べる。そして無理なく登れる場所を探す」

「そのとおりです」ジョン卿も言った。「おそらくこの台地はそれほど巨大ではない。むこう側までまわって調べれば、どこかで簡単に登れる場所を発見できるでしょう。さもなければ出発点にもどってくるだけです」

「この若い友人に説明ずみのことだが――」チャレンジャーは言った（まるで僕が十歳の小学生のような言い草である）。「――簡単に登れるような場所はどこにも存在しないだろう。理屈でわかる。もし頂上が孤絶していなければ、一般的な生存競争に干渉《かんしょう》されて、この特異な環境条件は維持されなかったはずだからだ。ただし人間の熟練した登山家だけが頂上に到達できて、不器用で体の重い動物は下りてこられないルートなら充分にありうる。すくなくとも登りのルートは確実にあるはずだ」

「なぜそう言える?」サマリーは鋭く尋ねた。

「先行者がいるからだ。アメリカ人のメープル・ホワイトは実際に登っている。そうでなければスケッチブックにあの怪物の絵を描《か》けない」

「それは証明された事実にもとづかない先走った理屈だ」頑固なサマリーが言った。「台地の存在は認めよう。目のまえにあるからな。しかしそこになんらかの動物がいるとはまだ認めておらん」

「貴兄《きけい》が認めるか認めないかはまったく些末《さまつ》なことだ。台地の存在だけはその無知を打ち破ったようなので、よろこばしいがな」そこでチャレンジャーは上を見て、ふいに飛びあがるように立った。そして驚いたことに、サマリーの首根っこをつかんで顔を上むかせた。荒々しい興奮の声で叫ぶ。「あれを見ろ! 台地に動物がいることをこれで認めるか?」

断崖の縁からよく茂った緑の藪が垂れていることは、すでに描写したとおりである。そのあいだから、光沢《こうたく》のある黒いなにかが突き出ている。奇妙な三角形の頭をもつ巨大な蛇《へび》のようなものがゆっくりと空中に伸びている。滑《なめ》らかでしなやかな首に朝日を浴びながら、しばらく頭を揺らしていたが、やがてそろそろと引っこんで見えなくなった。

サマリーは茫然《ぼうぜん》と凝視し、チャレンジャーに無理やり顔を上むけられた格好で抵抗もしていない。しかしわれに返って同僚を押しのけ、威厳をとりもどした。

「今後なにかを発言するときに、わしの顎を握って上むかせるのはやめてもらいたいな。よくいるアナコンダを見かけたくらいで大げさな」

「しかし台地に動物がいることははっきりしたぞ」チャレンジャーは意気揚々《ようよう》と答えた。

「さて、偏見まみれで鈍感な者にも明白な形で重要な結論が出たところで、吾輩が意見を述べたい。この野営地を引き払って西へ出発し、なんらかの登り口を探そうではないか」

絶壁の下には割れた岩が堆積《たいせき》していて、とても歩きにくく時間がかかった。しかしふいに、疲れを吹き飛ばすものに遭遇した。古い野営跡《あと》である。シカゴ産の肉の空《あ》き缶がいくつか、〝ブランデー〟のラベルが貼られた瓶《びん》が一本、折れた缶切り、そしてだれかの有機堆積物の小山があった。ぼろぼろの新聞紙の一部も残っている。紙名は〈シカゴ・デモクラット〉と読めたが、日付は不明だ。

「吾輩のではない。メープル・ホワイトが残したものにちがいない」チャレンジャーは言った。

ジョン卿はこの野営地に日陰をつくる大きな木生《もくせい》シダを熱心に調べていた。「みんな、これを見てくれ。道しるべではないかな」

木生シダの幹《みき》に硬木《こうぼく》の板が打ちつけられ、その先端が西をさしている。

「まちがいなく道しるべだ」チャレンジャーは言った。「ほかに考えられない。この先は危険だと理解した先行者が、後続の調査隊があとをたどれるように道しるべを残したのだ。このまま進めばにさらになにかあるだろう」

たしかにあったが、それは予想外の恐ろしいものだった。断崖の真下に高い竹が密生していた。しばらくまえに突破した竹林《ちくりん》とおなじだ。竹の高さは二十フィート（約六メートル）で、先端は硬くとがっている。まるで槍《やり》の束《たば》が立っているようである。この竹林の外を迂回《うかい》しているとき、白く光るものに僕の目がとまった。竹のあいだに首を突っこんでみると、それは肉が腐り落ちた頭蓋骨だった。全身の骨もある。頭蓋骨はそこから離れ、竹林の端まで数フィートのところにころがっている。

インディオが山刀《さんとう》を数回振るうとじゃまな竹が切り払われ、古い惨劇の現場があらわになった。服は切れ端しか残っていないが、骨になった足はまだブーツの残骸を履《は》いている。死者がヨーロッパ系の白人であるのは明白だった。ニューヨーク州ハドソンの銘《めい》がある金時計と、その鎖《くさり》につながった針先万年筆が骨のあいだに落ちている。銀の煙草《たばこ》入れもあり、蓋《ふた》に〝J・Cへ、A・E・Sより〟と刻まれている。金属の状態からこの悲劇が起きてからかなり時間がたっていることがわかる。

「だれだろう」ジョン卿が言った。「かわいそうに。全身の骨が砕けている」

「折れた肋骨《ろっこつ》のあいだから竹が伸びているな」サマリーが言った。「いくら竹の成長が早いとはいえ、二十フィート伸びるよりまえから遺体がここにあったとは考えにくい」

「この男の身許《みもと》についてては確証がある」チャレンジャー教授が言った。「あの大農園で諸君

に合流するまえに、川を遡行《そこう》しながらあちこちでメープル・ホワイトについて聞き込みをしてきた。パラで彼を知る者はいなかった。しかしさいわい手もとに有力な手がかりがあった。スケッチブックに残されていた絵だ。ロザリオで会食した聖職者が描かれていて、当人を探し出すことができた。これがまた論争好きのやつで、現代科学が信仰にもたらす破壊的な影響を吾輩が指摘してやると、愚かにも反論してきた。それはともかく、必要な情報を聞き出せた。メープル・ホワイトがロザリオを通過したのは四年前、つまり遺体になったところを吾輩が見る二年前だった。当時は単身ではなく、ジェームズ・コルバーというアメリカ人の連れがいた。そいつは船にとどまっていて聖職者は会わなかったそうだ。つまり、この遺骨はジェームズ・コルバーと見てまちがいない」

「死因もはっきりしていますね」ジョン卿が言った。「崖の上から落ちたか、突き落とされた。そして地上の竹に突き刺さった。全身の骨が折れているのも、われわれの頭よりはるかに高い竹に体をつらぬかれていることも、これで説明がつく」

　僕らは黙ってこの砕けた遺骨を見て、ジョン・ロクストン卿の推理どおりだと理解した。崖の先端は突き出て、この竹林の上にかかっている。そこから落ちてきたのはまちがいない。しかし、落ちたのだろうか。事故か、それとも……。この未知の土地に不気味で恐ろしい可能性が渦巻きはじめた。

　一行は無言でその場を離れ、崖ぞいの前進を再開した。断崖は均一で切れめがない。まるで南極の巨大な氷床《ひょうしょう》のようである。それは読み物によると右の水平線から左の水平線まで延びて、高さは調査船の帆柱《ほばしら》の先端を超えるらしい。崖を五マイル（約八キロメートル）進んでも裂けめも亀裂《きれつ》もみつからなかった。しかし新たな希望になるものがふいにみつかった。雨のかからない岩のくぼみに、チョークで雑に描かれた矢印があった。先端はやはり西をさしている。

「これもメープル・ホワイトだ」チャレンジャー教授が言った。「あとから大規模な調査隊が来ると予想していたのだろう」

「ホワイトはチョークを持っていたんですか?」

「ナップザックの遺品のなかに色つきチョークの箱があった。そのうち白だけが短くなっていたと記憶している」

「有力な証拠だな」サマリーも言った。「案内にしたがって西へ進もう」

さらに五マイルほど進んだところで、ふたたび岩に描かれた白い矢印をみつけた。そこにはこの断崖で初めて見る亀裂があった。狭い亀裂のなかにはいると、また案内の印がある。その矢印の先端はなぜかやや上をむいている。地面より高いところをしめしているようである。

そこは峻厳《しゅんげん》な場所だった。左右は巨大な岩壁で、頭上には細長い青空が見える。両側から迫る緑の藪にさえぎられてとても細く、下まで届く光はごく弱い。僕らは何時間もなにも食べておらず、ガレ場《ば》歩きの連続で疲労しきっていたが、神経が昂《たか》ぶってここで止まる気にはなれなかった。インディオたちに野営地の設営を命じてあとに残し、僕ら四人と混血二人だけでこの狭い亀裂にはいっていった。

入り口は幅四十フィート弱（約十二メートル）あったが、奥へはいるにしたがって急速にせばまり、最後は鋭角の行き止まりになっていた。よじ登るには岩壁が垂直で滑らかすぎて無理だ。先行者の矢印がこれをしめしているとは考えにくい。やむをえず引き返した。亀裂の奥行きは四分の一マイル（約四百メートル）もない。ふいにジョン卿の鋭い目が大事なものをみつけた。頭より高い薄暗い岩壁に、さらに暗い円がある。洞窟《どうくつ》の開口にちがいない。

その場所は岩壁の下に砂利《じやり》が堆積しており、それを足がかりによじ登ることができた。穴に這《は》い上がると、もうまちがいなかった。たしかに洞窟の開口であり、その側面に新たな矢印もある。ここがめあての場所だ。メープル・ホワイトとその不運な仲間が使った登り口だ。

興奮した僕らはすぐに予備調査にかかった。ジョン卿はナップザックに電池式の照明をもっており、これで行く手を照らした。彼が小さな黄色い光の輪を前方にむけて進み、僕らは一列になってついていく。

洞窟は水流でけずられていた。左右の壁は滑らかで底には丸い石が積もっている。大人が一人かがんでやっと通れる大きさである。五十ヤード（約四十五メートル）はほぼまっすぐ岩の奥へはいっていき、そこから四十五度の上りになった。ほどなく勾配《こうばい》はさらに急になり、両手と両膝を突っぱって、そのあいだを落ちてくる砂利をよけながら登りつづけた。突然、先頭のジョン卿が声をあげた。

「ふさがれてる！」

その背後に集まり、黄色い照明で観察した。崩《くず》れた玄武岩の壁が天井まで積み上がっている。

「落盤だ！」

いくつか石を引き抜いてみたが無駄だった。大きな岩がぐらついて危険になった。傾斜にそって転がってきたら押しつぶされてしまう。障害はどうやっても除去できない。メープル・ホワイトが登った道はもう通れないわけだ。

落胆のあまり口数少なくなり、暗い洞窟を下りて野営地のほうへ引き返しはじめた。

しかし亀裂を出る直前に、ある事件が起きた。その後の展開を考えると重要な出来事だった。

洞窟の口から四十フィート（約十二メートル）ほど下りた亀裂の底でひとかたまりになっているとき、大きな岩が突然落ちてきて、僕らの脇をすさまじい勢いでかすめたのである。一人ないし全員にぶつかってもおかしくなかった。どこから落ちてきたのかだれも見ていなかった。しかし洞窟の口に残っていた混血たちが、自分たちより上から降ってきたと証言した。ということは崖の上から落ちてきたらしい。見上げても、崖の上をおおう緑のジャングルに動くものはない。しかし岩が僕らを狙って落とされたのはまちがいない。つまりこれは人間が——しかも悪意を持った人間が——台地の上にいることをしめしている！

一行は急いで亀裂から退避した。頭のなかはこの新たな展開と計画への影響でいっぱいだった。これまでも充分困難だったのに、自然の障壁にくわえて人間の意図的な妨害まであっては、ほとんど望み薄ではないか。しかしほんの数百フィート頭上で揺れる美しい緑の下生《したば》えを見て、帰国を考える者はだれもいなかった。徹底的に探検せずにロンドンへ帰るわけにいかない。

状況を話しあって、このまま崖にそって台地をまわるのが最善だという結論になった。そうやって頂上へ登れるほかのルートを探す。かなり低くなってきた断崖の列はすでに西から北へ方向を転じつつある。これが円弧だとすれば一周はそれほど長くない。悪くても数日で出発点にもどるはずである。

その日は合計二十二マイル（約三十五キロメートル）進んだが、見通しに変化はなかった。アネロイド気圧計をもとに計算すると、カヌーを乗り捨ててから標高三百フィート（約九十メートル）以上登っている。気温も植生もがらりと変わった。熱帯の旅で悩みの種《たね》である不快な昆虫類はかなり減った。ヤシはまだ少し残り、木生シダも多いが、アマゾンの主要な樹《じゅ》種《しゅ》はすっかり消えた。コンボルブルス、トケイソウ、ベゴニアといった花は美しく、荒涼とした岩場にいながらも故郷を思い出させる。とくに赤いベゴニアは、ストリーサムのある屋敷の窓を飾る鉢植えの花の色を思い出す……。いや、これは個人的な回想である。

その夜——というのは台地周回の初日——素晴らしい事件があった。驚異の世界に近づいていることに多少の疑いを残していたとしても、それを完全に払拭《ふっしょく》する出来事だった。

これを読む親愛なるマッカードル氏には、弊紙《へいし》が僕を特派員として送ったのが非常識な企画ではなかったこと、教授の許可が下りたあかつきにはとてつもない特ダネで世間を驚かせられることを確信していただけるはずだ。僕としてもたしかな証拠をイギリスに持ち帰らないかぎりこの手記は公表できない。そうでないと、ほら吹き記者として歴史に名を残してしまう。マッカードル氏もおなじ考えだろう。このような記事が発表されたときに噴出するはずの批判と懐疑論に立ちむかう準備ができるまでは、〈ガゼット〉の信用を危険にさらすようなことはできない。ゆえに、いかに大見出しを飾れる大事件であっても、もうしばらく編集局の引き出しにしまってもらわねばならないのである。

そもそも一瞬の出来事だった。全員に確信をもたらしたことをのぞけば、続報はない。

起きたのはこういうことだ。ジョン卿が夕飯用にアグーチという豚に似た小型の動物を仕《し》留《と》め、その半分をインディオたちにあたえて、残り半分を僕らは火であぶっていた。暗くなって冷えこみ、みんな火のまわりに集まっていた。月はなかったが、星明かりで平地のすこし先まで見えていた。そこへ突然、夜闇《よやみ》の奥から黒いなにかがあらわれ、同時に飛行機のような風切り音が聞こえた。全員の頭上が一瞬だけ飛膜《ひまく》の翼におおわれた。僕の目には、蛇の

ように長い首と、貪欲で猛々しい赤い目と、噛みつく大きな嘴と、驚いたことにそこにずらりと並ぶ小さな輝く歯が見えた。そして次の瞬間には飛び去っていた。僕らの夕飯も消えていた。翼長二十フィート（約六メートル）の巨大な黒い影が滑空《かっくう》して舞い上がり、大きな翼で星空をつかのま隠して、断崖の上に消えていった。火のまわりの僕らは茫然《ぼうぜん》と言葉を失っていた。まるでハルピュイアに襲われたヴェルギリウスの叙事詩の英雄たちのような案配《あんばい》である。沈黙を破ったのはサマリーだった。

「チャレンジャー教授――」粛然として感動で震える声である。「――謝罪せねばならぬ。わしが完全にまちがっていた。どうかこれまでのことは忘れてもらいたい」

立派な言葉とともに二人は初めて握手した。プテロダクティルスを初確認したことで多くの収穫があった。なにしろこの二人を歩み寄らせたのだから、夕食を失っても惜《お》しくない。

ただ、台地に先史時代の生物が存在するにしても多くはないらしい。それから三日間は影すら見なかった。そしてその三日間は台地の北東側にある不毛で危険な土地を横断するのに費やした。岩だらけの砂漠と、野禽《やきん》が群れた暗い沼地が交互にあらわれた。まったくもって人を寄せつけない地域で、断崖の下にいくらか堅固《けんご》な張り出しがなかったらあきらめて引き返しただろう。亜熱帯の沼沢地《しょうたくち》特有のぬかるみを何度も腰まで浸《つ》かりながら渡った。さらには南米最強の毒と攻撃性を持つハララカハブの繁殖地でもあるらしい。この危険生物が湿地の上を這って何度も飛びかかってきた。つねに散弾銃をかまえていなくてはとても安全に歩けない。なかでも漏斗形《ろうと》の湿った窪地《くぼち》のことは悪夢の記憶としていつまでも残るだろう。ある種の地衣類《ちい》が繁殖して不気味な緑色を呈したその場所は、この毒蛇の巣窟《そうくつ》だった。斜面で無数にもつれあうそいつらが、いっせいにこちらへ這い寄ってくる。人間の姿を見るとすぐに攻撃してくるのがハララカハブの特徴なのだ。あまりに多くて、撃っても撃ってもきりがない。息を切らして遁走《とんそう》するしかなかった。もう遠ざかったかとふりかえったとき、草のあいだから鎌首《かまくび》をもたげて追ってくる恐ろしい姿が見えたことを忘れられない。作成中の地図ではハララカハブ湿地と名づけた。

この裏側の断崖は赤ではなく焦《こ》げ茶を呈していた。崖の上にのぞく植物もまばらで、崖の高さも三、四百フィート（約九十～百二十メートル）と低くなっている。それでも登攀可能な箇所はみつからず、むしろ出発地点より険《けわ》しいくらいだ。その断崖絶壁の峻厳さは岩の砂漠で撮影した写真で見てもらいたい。

「降った雨はいずれどこかへ流れます」状況を議論するなかで僕は言った。「崖のどこかに水路があるはずだ」

「若いのに理路整然と考えられるようだな」チャレンジャー教授は僕の肩を叩いた。

「どこかで雨が流れ落ちているはずでしょう」僕はくり返した。

「その事実はしっかり把握できているな。ただし問題は、これまでの目視観察によって結論づけられるとおり、崖のどこにも流れ下る水路がないという点だ」

「では水はどこへ？」

「外へ流れ出ていないとすれば、おそらく内へ流れておるのだろう」

「では中央に湖が？」

「そう考えられる」

「湖はたぶん古い火口跡だ」サマリーが言った。「この地形はもちろん火山活動によるものだからな。台地の表面は内側にむかって傾斜し、中央には一定の水面があるはずだ。そしてなんらかの地下水路を通じて、ハララカハブ湿地へ流れているにちがいない」

「あるいは蒸発で均衡《きんこう》しているのかもしれん」チャレンジャーが意見した。そして二人の学者はいつもの科学的議論にはいっていった。一般人には中国語を聞くように理解不能である。

六日目についに崖を一周し、孤立した岩の尖塔のそばにある最初の野営地にもどった。一行は意気消沈していた。綿密に調査したにもかかわらず、体力旺盛《おうせい》な人間でも登攀可能な箇所はなかった。そしてメープル・ホワイトがチョークでしめした登り口は完全にふさがれていた。

どうすればいいのか？　食料は銃を使って補《おぎな》っているおかげでまだ余裕があるが、いずれ心もとなくなるだろう。二カ月ほどすれば雨季にはいり、野営などできなくなる。岩盤は大理石より硬く、あの高さまで通り道を刻むのは時間的にも資源的にも不可能だ。その晩の僕らが暗い顔でろくに言葉もかわさず毛布にもぐりこんだのは不思議ではない。眠りに落ちるまえに見たチャレンジャーの姿が頭にこびりついてる。焚《た》き火のそばでウシガエルのようにしゃがみ、大きな頭を両手にうずめて沈吟《ちんぎん》の体《てい》であった。僕がおやすみと声をかけたのも気づかないようすだった。

ところが翌朝のチャレンジャーはまるで人が変わったようだった。満足感と自画自賛の気分を全身から発散させていた。朝食に集まった僕らに、本心とはうらはらの謙遜《けんそん》をよそおった目つきでこんなことを言った。「諸君の賛辞は予想がつくが、照れるから言わんでくれ」そのくせ髭は勇ましくぴんと立ち、胸は壮気《そうき》にふくらみ、両手は上着の前ポケットに力強く突っこんでいる。おそらく脳裏ではトラファルガー広場の空席の台座に屹立《きつりつ》し、ロンドン市民を睥睨《へいげい》しているつもりなのであろう。

「発見したぞ！」髭のあいだで白い歯を輝かせて叫んだ。「紳士諸君、吾輩を祝福してくれ。そしてたがいに祝おう。問題は解決した」

「登る道をみつけたんですか？」

「そのつもりだ」

「どこにそんな道が？」

答えるかわりに、右にある岩の尖塔を指さした。

それをしげしげと見て、僕らは——すくなくとも僕は——また暗い顔になった。あの尖塔は道具があれば登れるだろう。しかしそこと台地のあいだには大きな間隙が口をあけている。

「渡れませんよ」僕はあきれて言った。

「頂上までは登れる。全員が登ったら、この頭脳の尽きせぬ創意を見せてやろう」

　朝食後に、隊長が持ちこんだ登山用品の荷物を解《ほど》いた。チャレンジャーはそこから軽量で強靭《きょうじん》なロープの束を出した。長さは百五十フィート（約四十五メートル）ある。岩登り用の金具類やそれらを使うための道具もあった。ジョン卿は登山経験があるし、じつはサマリーも過酷な登山を何度かやっている。岩登りの素人《しろうと》は僕だけだ。しかし筋力と体力で経験不足をおぎなえるだろう。

　実際にはそれほど困難な登攀ではなかった。それでもひやりとする場面が何度かあった。前半はとても楽で、途中からしだいに傾斜がきつくなった。最後の五十フィート（約十五メートル）は岩の小さな突起や亀裂に指や爪先を引っかけてようやくしがみついていた。チャレンジャーが先に頂上まで登って（あの不格好な体で身軽に登っていくようすは見物《みもの》だった）、そこにはえた巨木の幹にまわしたロープを確保していてくれなかったら、僕やサマリーはとうてい登りきれなかっただろう。ロープを頼りになんとか岩壁を這い上がり、頂上に到達した。そこはさしわたし二十五フィート（約八メートル）ほどの草地になっていた。

　呼吸を整えてまず印象深く感じたのは、これまで横断してきた土地を一望《いちぼう》する眺めだった。ブラジルの大平原をすべて眼下におさめたかのようだ。どこまでも茫漠《ぼうばく》と広がり、果ては地平線を包む青い濛気《もうき》のむこうに消えている。足下からなだらかに広がる斜面には岩と木生シダが散在している。途中に馬の背のような丘陵《きゅうりょう》があり、そのむこうに黄色と緑の帯が見える。苦労して通過した竹林だ。その先は植物が増え、見渡すかぎりの大森林につながっている。ゆうに二千マイル（約三千二百キロメートル）先まで広がっている。

この驚異のパノラマに見とれていると、教授の大きな手が肩にかかった。

「こっちだ、若者よ。後退してはならぬ《ヴェスティジア・ヌラ・レトロルサム》。うしろではなく、つねに栄光のゴールを見よ」

ふりかえると、台地は僕らが立っているところとまったくおなじ高さだった。緑の藪とまばらな木々はとても近くに見えて、すぐにも手が届きそうだ。間隙の幅は目測で四十フィート（約十二メートル）。しかし渡れないという意味では四十マイルとおなじだ。木の幹に片手をまわして奈落《ならく》の底をのぞきこむ。はるか下からこちらを見る使用人たちの黒い小さな人影がある。断崖はここから見てもやはり完全に切り立っている。

「興味深いな」サマリー教授がかん高い声で言った。

見ると、教授は僕がつかまっている木を熱心に見ている。樹皮は滑らかで、葉脈《ようみゃく》の浮いた小さな葉には僕も見覚えがある。「おや、これはブナだ！」

「そのとおり」サマリーが言った。「異国で同郷人に会った気分だな」

「ただの同郷人ではないぞ、教授」チャレンジャーが言った。「そのたとえにあわせて言えば、第一級の味方だ。このブナこそわれらが救世主だ」

「なるほど、橋を渡すのですね！」ジョン卿が声をあげた。

「そのとおりだ、友人たちよ。橋だ！　昨晩この状況について熟考をめぐらせたかいがあった。この若い友人に、G・E・Cが真価を発揮するのは背水《はいすい》の陣を敷いたときだと話したことがある。昨夜はたしかに全員が水際に追いつめられていた。しかし意志と知性が一体となればかならず道は開ける。答えは、跳《は》ね橋を下ろして間隙を渡る、だ。見ろ！」

たしかに名案である。木の高さはゆうに六十フィート（約十八メートル）はある。適切な方向に倒せれば間隙のむこうに届く。チャレンジャーは野営地で使う斧《おの》をたずさえて登ってきており、それを僕にゆだねた。

「筋力でまさるのはこの若い友人だ。適任だろう。ただしくれぐれも自分の考えだけでやるな。こちらの指示にきちんと従ってくれ」

その指導どおりに幹の側面にいくつか刻みめをいれて、木が望む方向に倒れるようにした。そもそも最初から台地側へ自然に大きく傾いているので難しくない。あとは力強く斧を振っていった。ジョン卿と交代しながら一時間とすこし働いたころ、大きな音とともに木が揺れ、倒れた。むこう側の藪のあいだに枝を倒している。ところが幹の切り口側が頂上の縁にむかってころがった。滑り落ちるのではと恐怖の目で見守ったが、縁から数インチのところでかろうじて止まった。こうして未知の世界へ渡る橋がかけられた。

全員が言葉を失ったままチャレンジャー教授と握手した。教授は麦わら帽子を持ち上げて一人一人に大きくお辞儀をした。

「未知の土地へ最初に渡る名誉をいただきたい。将来の歴史画のいい題材になるはずだ」

チャレンジャーは橋に近づいたが、ジョン卿がその上着の肩に手をかけた。

「申しわけありませんが、それは許可できませんね」

「許可できんだと！」ふりむいて髭面《ひげづら》を突き出した。

「科学の問題なら諾々《だくだく》と従いますよ。なにしろあなたは科学者ですからね。しかし問題がわたしの担当分野なら、教授は従う側にまわってもらいます」

「きみの担当分野とはなんだ？」

「だれしも天分を持っています。わたしのは軍事です。それを踏まえて言うと、いまは新天地へ侵攻する局面です。なんらかの敵が充満しているかもしれない。ささやかな常識や忍耐も働かせず無闇に敵地に飛びこむのは、まともな指揮官のやることではない」

理路整然とした諫言《かんげん》は無視しがたい。チャレンジャーは首を振り、大きな肩をすくめた。

「では、提案を聞こう」

「これまでの証拠から見ても、あの藪には獲物を狩って昼食にしたい人食い族がひそんでいる可能性があります」ジョン卿は橋のむこうを見た。「知恵を働かせないとその煮えたぎる鍋《なべ》に飛びこんでしまう。危険がないことを期待しながら、危険があることを前提に行動すべきです。マローンとわたしはいったん下へおりて、ライフル四挺《ちょう》をかつぎ、ゴメスともう一人を連れて登ってきます。そうすれば、一人が橋を渡るあいだ、残りはライフルをかまえて掩護《えんご》できる。むこう側の安全確認をできたら、残りの全員が続けばいい」

チャレンジャーは切り株に腰を下ろして苛立たしげにうなった。しかしサマリーも僕もこのような現実的な問題ではジョン卿に従うべきだという考えで一致した。尖塔の登攀ルートの難所はロープのおかげで容易になっていた。一時間でライフル数挺と散弾銃一挺を運び上げ、混血二人も登ってきた。この一回目の調査が長引く場合にそなえて食料一包みをジョン卿の命令でかつぎ上げた。弾帯《だんたい》は数本ずつ全員に配られた。

「ではどうぞ、チャレンジャー。一番乗りにこだわられるなら」すべての準備が整ったところでジョン卿が言った。

「寛大な許可に痛みいる」教授は憤然《ふんぜん》として言った。権威のまえではかならず不愉快になる性格だ。「渡ってよいとのおおせなので、開拓者としてありがたく先頭を切らせてもらう」

幹にまたがって左右の脚を奈落に垂らし、斧を背中にかついで、尻の位置をずらしながら移動していった。まもなくむこう側に到達し、立ち上がると両手を突き上げた。

「ついに！　ついにだ！」大声で言う。

僕は心配しながら見守った。その背後の緑のカーテンからなんらかの恐ろしい運命が飛び出してくるのではと曖昧《あいまい》に予想していた。しかしなにも起きず、色彩豊かな奇妙な鳥が一羽、その足下から木々のあいだへ飛んでいっただけだった。

二人目はサマリーだ。細い体に似あわぬ不屈の体力を秘めている。強く主張して二挺のラ

イフルをかついでいったのは、むこう側で二人とも武装するためである。次は僕で、渡るときに眼下の恐ろしい奈落を見ないようにした。サマリーがライフルの銃床《じゅうしょう》を伸ばしてくれて、すぐあとにその手を握れた。しんがりのジョン卿は歩いて渡ってきた——ささえもなしに！　まさに鉄の度胸の持ち主である。

こうして四人はメープル・ホワイトの夢の国に——失われた世界にたどり着いた。全員が勝利感に酔っていたと思う。これが最悪の悲劇のはじまりだとだれが予想しただろうか。僕らが打ちのめされるまでを簡潔に説明しよう。

四人は崖に背をむけ、近くの低木《ていぼく》のあいだに五十ヤード（約四十五メートル）ほどはいりこんだ。ところが背後でおそろしい衝撃音が響き、あわてて崖っぷちにもどった。すると橋がなくなっているではないか。

はるか下をのぞきこむと、多数の枝と折れた幹がひと塊《かたま》りになっている。あのブナの木である。崖の縁が崩れて落ちたのだろうか。僕の頭にまず浮かんだ解釈がそれだった。しかし直後に、むこうの尖塔の頂上に浅黒い顔がゆっくりと突き出された。混血のゴメスである。たしかにゴメスだが、いつもの控えめの笑みと仮面のような無表情ではなかった。猛々しく目を光らせ、顔の造作《ぞうさく》をゆがませ、憎悪と狂気と復讐の歓喜をあらわにしている。

「ロクストン卿！　ジョン・ロクストン卿！」ゴメスは叫んだ。

「なんだ。ここにいるぞ」僕らの仲間は答えた。

かん高い哄笑《こうしょう》が間隙のむこうから響く。

「そうだ、おまえだ。イギリスの犬め、そこに置き去りになれ！　待って、待って、やっと機会がめぐってきた。登るのが難しいのはわかってるだろう。下りるのも難しいはずだ。呪われた愚か者どもめ、罠《わな》にかかったんだよ！　一人残らず！」

僕らは言葉を失っていた。茫然自失して立ちつくすばかり。むこうの草の上には折れた枝が残されている。それを梃子《てこ》に使って橋を落としたらしい。ゴメスの顔はいったん引っこんだが、さらに狂気を宿してふたたびあらわれた。

「洞窟でも岩を落としてもうすこしで殺せるところだった」ゴメスは叫んだ。「でもこのほうがいい。ゆっくり悲惨な死に方になる。そこに白い骨をさらせ。だれにも知られず、だれからも埋葬されず。そして死の間際《まぎわ》にロペスのことを思い出せ。五年前におまえがプトマヨ川で撃ったおれの兄だ。これでおれも心安らかに死ねる。兄の復讐を果たせた」怒りの手が振られ、それっきり静かになった。

混血は、復讐を果たして黙って去ればよかったのである。愚かにもラテンの衝動にしたがって芝居じみた長広舌《ちょうこうぜつ》を吐いたのが運のつきだった。暴れん坊貴族の異名を三カ国にとどろかせたロクストンがこのように面罵《めんば》されて黙っているはずがない。混血は岩の尖塔の反対側を下りていた。しかしジョン卿は崖っぷちにそって遠くまで走り、その姿を見通せる位置をみつけた。ライフルの発砲音が一度響き、こちらには見えないが、悲鳴と体が地面に落ちる

音が遠く聞こえた。ロクストンは固い表情でもどってきた。

「見る目がなかった」悔《くや》しげに言った。「こんな事態になったのはわたしの愚かさのせいだ。この土地の人々が血の復讐を忘れないことを頭において警戒すべきだった」

「もう一人は？　あの木を落とすには二人がかりの力が必要だったはずです」

「撃ってもよかったが、見逃してやった。無関係だと思ったのだ。しかし殺したほうがよかっただろうか。きみが言うように手伝っていたかもしれない」

ゴメスの動機がわかると、これまでの行動にひそむ悪意が思い出された。僕らの計画をつねに知りたがり、小屋の外で立ち聞きして見とがめられたこと。たまに憎々しげな表情を浮かべ、僕らの一部に気づかれると驚いたこと。そんなことを話して新たな状況に思考を順応させようとしているときに、崖の下の光景に注意を惹《ひ》かれた。

白い服の男がまるで死神に追われるように必死で逃げている。生き残ったもう一人の混血である。数ヤードあとから追いかけるのはザンボ。僕らに忠実な黒い巨人だ。見るまに追いつき、背後から首に腕をかけた。組みあったまま地面をころがる。まもなくザンボは立ち上がり、横たわったままの白い服の男を見下ろす。それからこちらを見上げてうれしそうに手を振り、駆けよってきた。白い服の男は平地に倒れたまま動かない。

裏切り者は二人とも倒された。しかしその謀略の結果は変わらない。岩の尖塔へもどる手段は失われたままだ。さっきまでは広い世界の住民だったのに、いまは台地の住民。この二つの世界はまったく切り離されている。平原の先にはカヌーの隠し場所がある。その先には川の流れがあり、紫に煙る地平線のかなたの文明へ続いている。しかしそれらとここは断絶している。人間のいかなる創意工夫をもってしても、現在の僕らと過去の生活圏をへだてる深い溝を渡る手段はない。僕らの生存環境は一瞬にして変わってしまったのである。

しかしそんなときこそ見えてくるのが三人の仲間の器量《きりょう》である。たしかに深刻な顔で考えこんでいる。しかしきわめて冷静である。ひとまず藪のあいだにすわって、ザンボがあらわれるのを辛抱づよく待った。その正直者の黒い顔がようやく岩の尖塔の上にあらわれ、続いてヘラクレスを思わせる巨体が這い上がってきた。

「あとはどうすればいい？　言ってくれればやるよ！」ザンボは叫んだ。

しかし問うは易《やす》し、答えるは難《かた》しである。一つだけはっきりしているのは、僕らにとってザンボが外の世界との唯一の信頼できる連絡役ということだ。なんとしても彼を去らせてはいけない。

「だいじょうぶ、どこへもいかないよ！　なにがあってもここにいる。でもインディオたちは引きとめられない。ここにはクルプリがいる、帰りたいとまえから言ってた。こうなったらもうだめ、引きとめられない」

「明日まで待たせろ、ザンボ」僕は叫んだ。「手紙を書いて、彼らに運んでもらうから」

「わかったよ！　明日までかならず待たせるよ！　でも、いまはなにをすればいい？」

やってもらいたいことはたくさんあった。あっぱれなことに、忠実な黒人はそれらをやってくれた。まず指示にしたがって、切り株に縛ったロープを解《ほど》き、一端をこちらへ投げた。洗濯紐《ひも》くらいの細いロープだが、とても強靭だ。橋の代わりにはならなくとも、岩登りでは役に立つ。運び上げてあった食料の包みをロープの反対側に結ばせた。そして無事にこちらへ引き寄せることができた。これでなにもなくても一週間分の生きる糧《かて》は確保できた。さらにザンボはいったん地上に下りて、弾薬をはじめとするさまざまな装備品を二つの包みにして持ってきた。こちらからロープを投げて、引き寄せた。インディオたちを朝まで引きとめるとあらためて約束してザンボが下りていったときには、もう暗くなっていた。

そんなわけで、僕はいま蠟燭《ろうそく》一本の明かりを頼りに、台地での最初の夜をほぼ徹してこれまでの経緯を書いている。

四人は崖っぷち近くで軽い夕食をとり、包みにはいっていたアポリナリス水の瓶二本で喉の渇きをいやしている。まずは水場をみつけることが肝心だが、さしものジョン卿も今日これ以上の冒険をやる気力はなく、未知の領域には踏みこんでいない。焚き火をひかえ、物音もむやみにたてない。

明日（すでに未明なので今日というべきか）はこの奇妙な土地を初めて探検する。次回はいつ書けるか――そんな機会が本当にあるか――はわからない。下にはインディオたちがとどまっているのが見える。忠実なザンボはまもなく手紙を受け取りに姿をあらわすだろう。

無事に届くと信じるしかない。

追伸――考えれば考えるほど現在の状況は望みがない気がしてきた。とうてい帰れるとは思えない。もし台地の端に高い木があれば切り倒してこちらから橋を架けられるだろう。しかし五十ヤード（約四十五メートル）以内にそんな木はない。四人が力をあわせても目的にかなう大木を運ぶのは無理。ロープは短すぎて下りるのには使えない。やはりこの状況は絶望――絶望だ！

10　最高に素晴らしいことが起きている

最高に素晴らしいことが起きている。いまも次々と起きている。手もとにある紙は五冊の古いノートと切れ端だけで、筆記具は繰り出し式ペンシル一本のみ。しかし手が動くかぎりここでの経験と印象を記録しよう。なにしろ人類でこれを見られるのは僕らだけだ。記憶が新しいうちに、そしていつ訪れてもおかしくない運命に斃《たお》れるまえに書きとめておかなくてはいけない。この手紙をザンボが下流へ運ぶか、なんらかの奇跡が起きて僕自身が持ち帰るか、あるいは勇敢な探検家が僕らの足跡を追って、後世に完成するであろう単葉《たんよう》飛行機かなにかを使ってこの遺稿の束《たば》を発見するか。いずれにしても真《しん》の冒険譚《たん》の古典としてこの記録は永遠に残るだろう。

ゴメスの悪意のせいで台地に孤立した翌朝から、調査は新たな段階にはいった。その最初の経験は、進入したこの土地に好印象をもたらすものではなかった。日が昇って短い眠りから覚めた僕の目がとまったのは、自分の脚の上の奇妙なものだった。ズボンがずり上がって靴下の上の皮膚が数インチのぞいている。そこに大きな紫色のブドウの粒《つぶ》のようなものがついている。異様さに驚いてつまみ取った。すると不愉快なことに、指のあいだでつぶれて血が四方に飛び散った。嫌悪の叫びを聞いて、かたわらの二人の教授が起きてきた。

「興味深い」サマリーは僕の臑《すね》に顔を近づけた。「ずいぶん大きな吸血ダニだな。しかも未分類らしい」

「苦難の末の最初の成果だ」チャレンジャーがいつもの大声で学問的なことを言った。「学名はマローンのマダニ《イクソデス・マロニ》とすべきであろうな。咬傷《こうしょう》程度のささいな不利益とひきかえに不滅の動物学に名を残すという輝かしい栄誉が手にはいるのだぞ。しかしその素晴らしいサンプルが食事中のところを潰《つぶ》してしまうとは、なんとも残念だ」

「不潔な害虫ですよ！」

チャレンジャー教授は太い眉を非難がましく上げ、なだめるように僕の肩に手をおいた。

「科学的に見る目と科学的に考える精神を涵養《かんよう》せねばならぬな。吾輩《わがはい》のように哲学的気質を持てば、吸血ダニの穿刺針《せんしばり》のように鋭い口吻《こうふん》も、膨張する腹も、すべて美しい自然の造形だ。クジャクにもオーロラにも劣らない。鑑賞眼に欠けたきみの物言いはじつに遺憾《いかん》だ。新たなサンプルを探索する義務があるぞ」

「まさしくな」サマリーがまじめな顔で言った。「なにしろその一匹がきみのシャツの襟《えり》の奥へもぐりこむのがいま見えたぞ」

チャレンジャーは牛のような叫声《きょうせい》とともに飛び上がり、上着とシャツをあわてて脱ぎはじめた。サマリーと僕は笑いころげて手を貸すこともままならなかった。まもなくその巨大な胴があらわになり（仕立屋の巻き尺で測れば四十四インチ（約百十二センチ）ある）、黒い胸毛のジャングルをさまようダニを吸血開始前に無事発見、除去できた。そもそも藪《やぶ》にはおびただしい害虫が棲《す》んでおり、野営地《やえいち》は移すべきだろう。

そのまえに忠実な黒人と話して手配しておくべきことがあった。折よくザンボはココアとビスケットの缶をいくつも持って尖塔《せんとう》の頂上へ登ってきた。それらの荷物はこちらへ投げ渡された。あとの地上の食料はザンボの分として二カ月もたせるつもりで節約しながら消費するよう指示した。インディオたちには、これまでの労賃とアマゾン下流へ手紙を届ける手間賃を約束した書状を持たせた。数時間後には彼らが一列になって平原を去っていくのが見えた。頭の上に荷物を載せて道をもどっていく。ザンボは尖塔の下に張った小さなテントを使い、僕らと下界との連絡役を続けることになった。

次はこちらの野営地の引っ越しである。ダニだらけの藪から、周囲を茂った木にかこまれた小さな空《あ》き地に出た。中央に平たい石があり、近くに好適な泉がある。清潔で居心地のいいその場所にすわって、この新天地への当面の進出計画を検討した。まわりの茂みでは鳥がさえずっている――耳慣れない奇妙な鳴き声もまじっているが、声ばかりで生き物の姿はなかった。

まずやるべきことは物資のリスト化だ。なにがどれだけあるか把握しておきたい。自分たちで運んできたものとザンボがロープを使って渡してくれたものをあわせると、それなりに豊富だった。危地にあって最重要の物資はライフル四挺《ちょう》と千三百発分の弾薬である。散弾銃一挺もあるが、弾薬は中粒《ちゅうりゅう》カートリッジ百五十発分にとどまる。食料は数週間分で煙草《たばこ》も充分。大きめの望遠鏡や双眼鏡などの科学用品もある。これらは空き地のなかに集めた。さらに用心して棘《とげ》だらけの茨《いばら》を斧《おの》やナイフで刈《か》り集め、直径十五フィート（約四・五メートル）の円形に積んだ。とりあえずこれが物資備蓄の拠点になる。チャレンジャー砦《とりで》と呼ぶことにした。

拠点整備ができたときはもう昼前だったが、暑さはそれほどでもない。台地の気候は、気温も植生も穏やかだ。まわりに茂る木々にはブナやオークや樺《かば》もある。ひときわ高い銀杏《いちょう》の茂った枝が砦の上にかかっている。その木陰で僕らは議論を続けた。このような活動では自然とリーダーになるジョン卿が見解を述べた。

「この土地に棲んでいるであろう獣《けもの》や人に、姿や物音を気づかれないことが安全のかなめです。存在を気づかれたとたん面倒なことが起きてくる。いまのところみつかった気配はない。当面は姿を隠してこの土地を偵察すべきです。親しくなるまえに近隣を調べておきたい」

「でもじっとしているわけにはいかない」僕はあえて意見した。

「もちろんだとも、若者よ。いずれ前進する。ただし常識的にだ。拠点にもどれなくなるほど遠くへは行かない。とくに大事なのは、生命の危険に迫られないかぎり銃を撃たないことだ」

「昨日きみは撃ったではないか」サマリーが指摘した。

「あれはしかたなかったんです。そもそも強い風が外にむけて吹いていたので、台地の内側に銃声が大きく響いたとは考えにくい。ところで、この土地をなんと呼びますか？　命名権はわれわれにあるでしょう」

悪くない案がいくつか挙《あ》がった、決定的な提案はチャレンジャーから出た。

「命名するなら候補は一つ。発見した先駆者にちなんでメープルホワイトランドとする」

かくしてメープルホワイトランドと決まり、僕が作成担当となった地図に書きこまれた。将来の世界地図にも載るはずである。

メープルホワイトランドへの平和的進出は喫緊《きっきん》の課題である。ここに未知の生物が生息しているのを僕らは目撃しているし、メープル・ホワイトのスケッチブックによればもっと危険で凶悪な怪物もいるだろう。人間の住民もいるかもしれない。崖下の竹林《ちくりん》に串刺しになっていた骸骨は上から落ちたとしか考えられないので、住民は凶悪な性質かもしれない。台地から逃げる手段を失って孤立したこの状況は、あきらかに危険に満ちている。ジョン卿がその経験から提案する警戒策は、理性的に考えていずれも必須《ひっす》だろう。それでもこの謎だらけの世界の外縁にとどまるわけにはいかない。勇気を出して進めと魂《たましい》がもどかしく叫ぶ。

防柵《ぼうさく》の入り口に茨の束をいくつか積んでふさぎ、備蓄食料の守りをこの棘だらけの垣根にまかせて、拠点の外へ出た。泉から流れる細い小川にそってゆっくり慎重に未知の領域へ進む。この小川は帰路の目印にもなるはずである。

出発してすぐにここが驚異に満ちた場所である証拠を次々とみつけた。茂った森の木々は僕の目には正体不明だが、一行の植物学者を自認するサマリーに言わせると、下界では大昔に姿を消した各種の針葉樹《しんようじゅ》やソテツの仲間らしい。そんな森を数百ヤード進んだところで、小川が広がって大きな湿地になった。背の高い特徴的な草が密生している。学名エキセタセア、通称〝馬の尾〟というトクサの仲間らしい。そのあいだに木生《もくせい》シダがまばらに生え、いずれも強い風に揺れている。先頭を歩くジョン卿がふいに片手を上げて立ち止まった。

「見ろ！　驚いた。これはすべての鳥の祖先の足跡にちがいないぞ」

目のまえの軟らかい泥の上に三本指の大きな足跡がある。この動物は湿地を横断して森の奥へはいったらしい。僕らは立ち止まって大きな足跡を観察した。鳥だとしても――この形の足跡を残す動物がほかにいるだろうか――足の大きさはダチョウをはるかにしのぐ。その割合を体にあてはめると、たいへんな巨体だと思われる。ジョン卿は鋭い目を周囲に配りながら、象撃ち用の大口径ライフルに弾薬を二発こめた。

「狩人《シカリー》の二つ名にかけて、この足跡は新しいぞ。通ってから十分もたっていない。ほら、足跡の深いところにはまだ水がしみ出ている。驚いたな、小さな足跡まである！」

たしかに似た形で小さい足跡が、大きいものに並行してついている。

「では、これをどう解釈する？」サマリー教授が上機嫌で指さしたのは、五本指の人間の手に似た大きな跡《あと》だ。それが三本指の跡のあいだについている。

「ウィールデンだ！」チャレンジャーが歓喜の声で叫んだ。「ウィールデン粘土《ねんど》層で見た。この動物は三本指の後脚《あとあし》で立って歩き、五本指の前脚をときどき地面につけるのだ。鳥ではないぞ、親愛なるロクストン。鳥ではありえない」

「獣ですか？」

「ちがう。爬虫類《はちゅうるい》だ。恐竜だ。ほかにこんな足跡を残す動物はいない。九十年前にサセックスの立派な博士を悩ませたものだ。しかしだれが――いったいだれがその現物を見られると思っただろうか」

チャレンジャーも最後は声をひそめ、全員が驚きのあまり凝然《ぎょうぜん》となった。気をとりなおして足跡を追い、湿地を離れて木々のあいだの藪をかきわけていく。その先の開けた場所に、見たこともない驚くべき生物が五頭いた。藪ごしにじっくり観察した。

五頭のうち二頭が成獣で、三頭は幼獣らしい。大きい。幼くても象くらいあり、二頭の成獣にいたっては僕がこれまでに見たどんな動物より巨体である。体表は灰青色《かいせいしょく》でトカゲのような鱗《うろこ》におおわれ、日光があたると光沢《こうたく》がある。五頭とも立っており、幅広く強力な尻尾《しっぽ》と太い三本指の後脚でうまくバランスをとっている。五本指の小さな前脚で枝を引き寄せ、葉をはんでいる。その姿を祖国の人々に説明するとしたら、さしずめ黒いワニの体表を持つ体長二十フィート（約六メートル）の巨大なカンガルーといったところである。

この驚異の光景を身じろぎもせずどれだけ見つめていただろうか。風は強いむかい風で具合のいい物陰に隠れているので、みつかる心配はない。幼獣はよちよち歩きで親にじゃれつくが、巨体にはね飛ばされて地響きとともに地面に落ちる。成獣の力はすさまじい。たとえば高木《こうぼく》の上部についた葉が食べにくいと見ると、幹《みき》に二本の前脚をまわして若木《わかぎ》のように引っこ抜く。その行動からは筋肉の大きさとともに、脳の小ささがうかがえた。抜いた木が自分の上に倒れかかり、何度も情けない悲鳴をあげたのである。巨体とはいえ耐えられる限度があるらしい。この出来事のせいで界隈《かいわい》は危険だと感じたのか、つがいと三頭の大柄《おおがら》な子どもは森の奥へゆっくりはいっていった。木の間《こまがく》隠れに見える灰色の光沢のある体表と、藪の上で揺れる頭を僕らは見送る。やがて遠ざかって見えなくなった。

僕は仲間たちのようすを見た。ジョン卿は象撃ち銃の引き金に指をかけ、ハンターの熱い

魂を瞳にあらわして立ちつくしている。オルバニーのあの居心地のいい部屋のマントルピース上で十字に組んだオールのあいだに、あの首を飾りたいと強く願っているだろう！　しかし理性の力でとどまっている。この未知の土地でさまざまな驚異を探索するには、こちらの存在を知られないことが肝心だとわかっている。二人の教授は無言で恍惚《こうこつ》としている。興奮のあまり無意識に手をつなぎ、まるで不思議を目にした幼い子どもたちのようである。チャレンジャーは頬《ほお》を吊り上げて天使のように輝く笑顔。サマリーはいつもの皮肉っぽい顔から驚嘆と畏敬《いけい》の表情になっている。

「なんてことだ！　イギリスの連中はどう言うだろうか？」サマリーはようやく声をあげた。

「親愛なるサマリーよ、イギリスの連中がどう言うか、自信をもって教えてやろう。最悪の嘘つきと呼び、科学界の大ぼら吹きとくさすのだ。まさにきみたちが吾輩を呼んだようにな」チャレンジャーが答えた。

「写真を見せてもか？」

「偽造だと言われるさ、サマリー。下手な偽造だと」

「サンプルがあってもか？」

「ああ、それはぜひとも必要だな！　マローンとその薄ぎたないフリート街の連中もさすがに吾輩たちを称賛するだろう。八月二十八日はメープルホワイトランドの林間《りんかん》の空き地で五頭の生きたイグアノドンを目撃した日だ。日記に書いておけ、若き友人よ。そして勤務先の三流紙に送れ」

「編集員に蹴飛ばされる覚悟がいるだろうな、若者よ」ジョン卿が言った。「ロンドンのような高緯度に行くと、ものごとの見え方がちがう。みずからの冒険について黙《もく》して語らない者が多い。信じてもらえないという理由でね。無理もない。一、二カ月前だったらわたしたちも夢物語と思っただろう。なんて名前ですって?」

「イグアノドンだ」サマリーが教えた。「ヘイスティングスやケントやサセックスの砂岩《さがん》から多数みつかる。イギリス南部に彼らを養《やしな》える植物がたっぷり生えていた時代にはいくらでもいた。環境が変わって絶滅してしまった。しかしここでは環境が変わらず、生存しているようだ」

「もしここから生きて脱出できるなら、あの首をぜひ持ち帰りたい」ジョン卿は言った。「ソマリランドやウガンダへ狩猟旅行に出かける連中に見せたら青ざめるだろうな。教授たちの見解はともかく、ここではずっと薄氷《はくひょう》の上を歩いているのだとさとりました」

僕もおなじ謎と危険を周囲に感じた。この森の薄闇につねに脅威を感じるし、葉陰《はかげ》をのぞきこむと漠然《ばくぜん》とした恐怖に胸がざわつく。たしかにさきほど目撃した大型生物は動きが鈍《にぶ》くておとなしい種類らしく、あまり危険はなさそうだ。しかしこの驚異の世界で生き延びているほかの生物もそうとはかぎらない。凶暴で俊敏《しゅんびん》な恐ろしい種類が岩や藪のねぐらからいつ飛び出してくるかもしれない。先史時代の生物についてあまり詳しくないが、かつて読んだある本には、鼠を捕食《ほしよく》する猫のように、ライオンや虎を捕食する種類がいたと書かれていた。そんな生物がメープルホワイトランドの森に生き残っていないともかぎらないではないか！

この新天地にひそむさまざまな奇妙な危険については、初日の午前中のうちにひととおり経験するはめになった。不愉快きわまりない冒険で思い出したくもない。イグアノドンの草地がジョン卿の言うようにある種の夢物語だとすれば、プテロダクティルスの沼はまちがいなく悪夢に相当する。出来事をなるべく正確に書いてみよう。

森のなかを僕らはゆっくりと進んだ。時間がかかるのはジョン卿が先に偵察して、あとをついていくという進み方のせいもあるし、ほとんど一歩ごとに教授たちの一方ないし両方が新種の花や昆虫をみつけて驚嘆の声とともにしゃがみこんでしまうせいもあった。そうやって小川の右岸を二、三マイル（三〜五キロメートル）進んだあたりで、かなり広い空き地にぶつかった。帯状の藪のむこうに岩だらけの場所がある。そこは一段高くなっている。腰より高く伸びた藪をかきわけて慎重にその岩場に近づくと、奇妙な物音が聞こえてきた。ごろごろと低く鳴る音やかん高い音が、前方からたえまなく聞こえてくる。ジョン卿が手を上げて僕らに停止を命じた。そしてかがんで走ってすばやく岩の列に近づく。岩のむこうをのぞいて、驚いたようすになった。こちらのことを忘れたように立ちつくし、むこうのものに見とれている。それからようやく、来いと合図した。ただし手を上げて用心も求めている。どうやら驚異と危険が同時に存在するらしい。

ジョン卿のそばへ来た僕らは、岩のむこうをのぞいた。そこは穴と呼んでいいだろう。この台地が火山活動をしていた古代には小さな噴出口だったと思われる。すり鉢《ばち》状にくぼみ、僕らのいる場所から数百ヤードむこうの底には沼がある。水はよどんで緑の浮きかすがたまり、周囲には葦《あし》が生えている。場所そのものも不気味だが、そこに生息するもののせいで、ダンテの『神曲』の七層の地獄もかくやという眺めになっていた。プテロダクティルスの群生地である。見える範囲で数百匹。沼の水際は若い世代でにぎやかだ。醜《みにく》い母親たちは黄色みがかった固い卵を温めている。よたよた歩き、はばたく不気味な爬虫類の群れからは、耳を聾《ろう》する鳴き声と鼻が曲がりそうな悪臭が漂ってくる。やや高いところには岩ごとに一匹ずつ凶悪な姿の雄《おす》がとまっている。背が高く、灰青色の体表は皺《しわ》だらけで、生物というより死んで乾いた標本のようである。赤い目玉をたまにぎょろりと動かし、近くにトンボが飛んできたときに鼠捕《と》りのような嘴《くちばし》でぱくりと食べるが、あとはほとんど動かない。腕は大きな飛膜《ひまく》の下に隠れているので、さながら蜘蛛《くも》の巣模様のショールで身を包んで獰猛《どうもう》な首を突き出した巨大な老婆のようである。大小あわせて千匹以上の薄ぎたない生物が前方のくぼみに集まっている。

歓喜する教授たちは一日じゅうでもそこにとどまっただろう。先史時代の生物を研究する機会を得て恍惚としている。食生活をしめす魚や鳥の死骸が岩のあいだに散らばっているのを指さす。ケンブリッジ海緑石《かいりよくせき》砂岩でこの翼竜の化石が狭い範囲で大量に発見される理由が

はっきりしたと、祝福しあう声も聞こえてきた。ペンギンのように大集団をつくって繁殖する習性があるのだ。

ところが最後にチャレンジャーが失敗を犯した。サマリーの反論に対してなにかを指摘しようとして、岩の上に顔を突き出してしまったのである。これが一行に破滅をもたらしかけた。たちまち近くの雄がかん高い鳴き声をたて、翼長二十フィート（約六メートル）の飛膜を広げて空に舞い上がった。雌《めす》と子どもは水際で身を寄せあい、外周の番兵《ばんぺい》たちが続々と飛び立つ。これほどの巨体と醜い姿の生物が百匹以上もいっせいに舞い飛び、ツバメのように風を切ったり頭上ではばたいたりするようすは壮観だった。しかしのんびり眺めてはいられない。はじめ翼竜たちは危険を値踏みするように大きな円を描いて飛んでいたが、やがて高度を下げて飛行円も小さくし、僕らをかこんでぐるぐると飛びはじめた。灰青色の翼の乾いたはばたきが空中に充満し、ヘンドン飛行場のエアレースの日もかくやと思われる騒々しさである。

「ひとかたまりになって森にはいれ。襲われるぞ」ジョン卿がライフルを棍棒《こんぼう》のように振りながら叫んだ。

退却をはじめると、翼竜の輪はさらに低くなって翼端が僕らの顔にぶつかりそうになった。ライフルの銃床《じゅうしょう》を振りまわして対抗しようとするが、空《くう》を切るか、あたってもはじき返される。その風切る灰青色の輪から突然長い首があらわれ、鋭い嘴が僕らを襲いはじめた。次次に攻撃してくる。サマリーは悲鳴をあげて顔を手で押さえた。そこから血が流れている。僕はうなじをつつかれ、衝撃でふらついた。チャレンジャーが転倒したので、助け起こそうとしていると、ふたたび背後からつつかれて、折り重なるように倒れた。そのときジョン卿の象撃ち銃の発砲音が鳴った。顔を上げると、翼の折れた怪物の一匹が地上でもがいている。血ばしった目を剝《む》き、こちらにむかって大きな嘴をあけ、唾を飛ばして騒々しく鳴く。そのようすは中世の絵に描かれる悪魔そっくりである。ほかの翼竜は突然の大きな音を聞いてやや高度を上げ、僕らの頭上を旋回している。

「いまだ、死にものぐるいで走れ！」ジョン卿が叫んだ。

四人は必死に藪をかきわけて移動した。木立の直前で空飛ぶ怪物たちはまた襲ってきた。サマリーが転倒したが、僕らは引きずってなんとか木々のあいだに逃げこんだ。巨大な翼のせいで太い枝のあいだにはいれないので木立のなかは安全だ。僕らは全身傷だらけで、悄然《しょうぜん》として帰路をたどりはじめた。見上げると、怪物たちは青空を背景にかなり高いところをしばらく旋回していた。遠いのでヤマバトくらいの大きさにしか見えないが、移動する僕らを鋭い目で追っている。森の深いところにはいるとさすがに追跡をあきらめたらしく、姿は見えなくなった。

「きわめて興味深く、確信をもたらす経験だった」チャレンジャーは小川で小休止して、腫《は》れた膝《ひざ》を冷やしながら言った。「怒ったプテロダクティルスの行動について類例のない知見

を得られたぞ、サマリー」

そのサマリーは額《ひたい》の切り傷から流れる血をぬぐっている。僕は首の筋肉への深い傷を縛《しば》ろうとしていた。ジョン卿はコートの肩をちぎられていたが、怪物の歯は皮膚をかすめただけのようだ。

「被害も興味深い」チャレンジャーは続けた。「若者は嘴でつつかれて深い裂傷《れっしょう》を負い、ジョン卿のコートはあきらかに歯で嚙《か》み切られている。吾輩は翼で頭を叩かれた。各人が多様な攻撃手段の例となっている」

「あやうく命を落とすところでしたよ」ジョン卿は暗い顔で言った。「あんな醜悪《しゅうあく》な怪物にノックアウトされるのは最悪の死に方だ。ライフルを撃ってしまったのは申しわけないが、しかしほかに手段がなかった！」

「そうしなければいまごろみんなやられてましたよ」僕は確信をこめて言った。

「さほど悪影響はないはずだ」ジョン卿は言った。「森の木が折れたり倒れたりするときの大きな音は銃声によく似ている。しかし言わせてもらうなら、一日分のスリルとしてはもう充分でしょう。野営地にもどって救急箱の石灰酸《せっかいさん》を使ったほうがいい。あの獣の不快な嘴にどんな有毒な菌がついているかわからない」

たしかに人類にとって初体験のことばかりの一日だった。しかし天地開闢《かいびゃく》以来の驚きはまだ終わりではなかったのである。小川にそって拠点の空き地へもどり、茨のバリケードが見えてくると、冒険はようやく終わりに思えた。しかしほっとするのはまだ早く、考えさせられるものに遭遇した。チャレンジャー砦の門にさわった形跡はなく、壁も崩《くず》れていない。なのに不在中に力の強い何者かが侵入したらしかった。正体をうかがわせる足跡は残っていない。頭上におおいかぶさる銀杏の大枝がその侵入および脱出経路だろう。その悪意と力の強さは、備蓄物資の状況にはっきりあらわれていた。めちゃくちゃに地面に散らばっている。ある肉の缶は引きちぎられて中身を出されていた。弾薬の箱はばらばらに壊され、真鍮《しんちゅう》の弾薬も一発分がちぎれてころがっていた。得体《えたい》のしれない恐怖がふたたび僕らの頭に忍びこんだ。周囲の暗がりのなかに禍々《まがまが》しい影が忍び歩いているのではと、おびえた目で見まわした。そんなときにザンボの呼び声を聞いてどれほど安堵したことか。台地の端へ行ってみると、むかいの岩の尖塔の頂上に彼は笑顔ですわっていた。

「だいじょうぶよ、チャレンジャー隊長！　だいじょうぶ！　おれ、ここにいるよ。しんぱいない。ようがあればかならずいるよ」

正直者の黒い顔と、眼前に広がる広大な眺めのおかげで、僕らはアマゾンの豊かさになかば引きもどされた。たしかにここは二十世紀の地球だ。野獣が跋扈《ばっこ》する原始の惑星に魔法かなにかで飛ばされたわけではない。はるかな紫の地平線のむこうには大河が流れ、大型蒸気船が行き来し、人々が些末《さまつ》な日常会話をしている。古代の怪物の世界に閉じこめられた僕らは、眺めながらその大切さに思いをはせた。

この驚きの一日について記憶に残っていることがもう一つある。それをこの手紙の締めくくりにしたい。二人の教授は負傷のせいで気が立っているらしく、今日襲ってきたのがプテロダクティルスの仲間かディモルフォドンの仲間かで議論をはじめ、しだいに声が高くなった。うるさいので僕はすこし離れ、倒木に腰を下ろして煙草を吸いはじめた。するとそこへジョン卿が近づいてきた。

「マローン、ちょっと聞きたいんだが、あの怪物たちがいた場所を見たか？」

「はっきり見ましたよ」

「火山性の噴出口だっただろう？」

「まさしく」

「地面はどうだった？」

「岩だらけです」

「水辺はどうだった？　葦がはえていたあたりだ」

「青っぽい土でしたね。粘土のようだった」

「そのとおり。火山性の噴出口は青粘土でいっぱいだった」

「それがどうかしましたか？」

「いや、なんでもない、なんでもない」ジョン卿は議論の声のほうへゆっくりもどっていった。言い争う二人の科学者は長い二重唱のようだった。サマリーの耳ざわりな高音と、チャレンジャーのよく響く低音が波のようにからみあう。ジョン卿の発言はすぐに忘れそうなものだった。忘れなかったのは、その夜もう一度彼の独り言《ひと》として聞いたからである。「青粘土――火山性の噴出口の粘土か！」それっきり僕は疲れに負けて眠りに落ちた。

11　一時的に英雄になる

僕らを襲った怪物の嘴《くちばし》は毒性の菌まみれかもしれないというジョン・ロクストン卿の懸《け》念《ねん》は正しかった。台地での最初の冒険からもどった翌朝、サマリーと僕は強い痛みと熱に苦しんだ。チャレンジャーは膝《ひざ》の打撲がひどくてほとんど歩けなかった。そのため一行は終日野営地《やえいち》にとどまった。ジョン卿だけが忙しく働き、僕らもできる範囲で手伝いながら、唯一の自衛手段である茨《いばら》の垣根をさらに高く、より厚くした。その長い一日のあいだ、僕はだれかに見られている気がしてしかたなかった。視線の主が何者で、どこにいるのかはまったくわからない。

その気配があまりに強いのでチャレンジャー教授に相談してみると、発熱による脳の興奮のせいだと片づけられた。なにかいると思ってさっと見まわしても、目にはいるのは暗くもつれた垣根や頭上をおおう巨木《きょぼく》の陰鬱《いんうつ》でうつろな闇ばかり。それでもなにかに見られている

――悪意あるなにかが近くにいるという感覚は強まるばかりだ。インディオの迷信であるクルプリが頭に浮かんだ。めったに姿をあらわさない恐ろしい森の精霊らしいが、その最奥《さいおう》の聖地に侵入した者の周辺にはこのように出没するのだろうか。

その夜（メープルホワイトランドで三日目）、全員が恐ろしい印象を頭に刻みつけられる経験をした。拠点の防御を強化してくれたジョン卿に感謝する結果にもなった。小さくなった焚《た》き火のまわりで眠っていた僕らは、ふいに目覚めた――というより、聞いたことのない恐ろしい悲鳴と叫びの連続によって全員が叩き起こされた。形容しがたい奇怪な騒音である。発生源は野営地から数百ヤード以内だろう。うるさいという点では蒸気機関車の汽笛《きてき》のようだ。しかし汽笛が機械的で鋭く明瞭な音なのに対して、こちらは量感があり、震えている。強烈な苦悩と恐怖に満ちている。僕らは両手で耳をふさいで、この神経をかき乱す訴えを遮断しようとした。全身から冷や汗が噴き出し、悲愴《ひそう》な響きに胸を締めつけられる。命がかき消える苦しみ、天への強い訴え、底なしの悲しみが濃縮された恐怖と苦悩の絶叫である。そのかん高い悲鳴のむこうから、断続的な低い音が聞こえた。腹の底から笑い、うなり、喉を鳴らす音が、悲鳴とグロテスクにいりまじる。そんな恐ろしい二重唱が三、四分続いた。木木の枝葉は眠りを乱された鳥たちの身動きによってざわついた。やがて騒音ははじまったときとおなじく唐突にやんだ。僕らはしばらく恐怖のなかで沈黙し、動けなかった。やがてジョン卿が焚き火に枝を放りこみ、赤い炎が仲間たちの顔を浮かび上がらせた。頭上の大枝も炎のまたたきで照らされる。

「いまのはなんだろう」僕はささやき声で尋ねた。

「朝になればわかるさ」ジョン卿が言った。「近かった。この空《あ》き地からさほど離れていないはずだ」

「先史時代の悲劇の一幕を聞く機会に恵まれたわけだな。ジュラ紀の湿地の縁に茂る葦《あし》のあいだで大型恐竜が小型恐竜を軟泥《なんでい》に押さえこむ場面だろう」チャレンジャーがこれまでになく粛然《しゅくぜん》とした声で言った。「人類は創造の順番があとまわしになってさいわいだった。古代にはこんな強力な怪物があちこちにいて、人間がいかに勇気や道具をふるおうとかなわなかった。投石器も投げ槍《やり》も弓矢も、今夜この闇を跋扈《ばっこ》する猛獣のまえでは無益だ。現代の銃をもってしても歯が立たんだろう」

「わたしは自分の武器を信じたいですね」ジョン卿は愛銃エクスプレスをなでた。「とはいえあの獣《けもの》が手ごわい獲物にちがいないことは認めます」

サマリーが片手を上げた。

「しっ！　なにか聞こえるぞ」

ふいに落ちた静寂のなか、低く規則的に地面を踏む音が聞こえた。動物の足音である。柔らかく重い足の裏を慎重に地面に下ろしている。野営地のまわりをゆっくり忍び歩いている。茨の門のそばで足音が止まった。低く震える音がくり返す。怪物の吐息《といき》である。わずかな茨の垣根だけが人間とこの夜の王をへだてている。僕らはそれぞれライフルを握りしめた。ジョン卿は茨の一本を引き抜いて即席の銃眼《じゅうがん》をつくった。

「いた！　見えるぞ！」小声で言う。

僕はかがんでその肩ごしに隙間《すきま》のむこうをのぞいた。たしかに見えた。木々の暗い影の手前に、さらに暗い影がある。黒くまとまりがない曖昧《あいまい》な影。凶暴な力と威圧感を漂わせて低くかまえている。体高は馬くらいだが、ぼんやりした輪郭からすると体格も力もはるかに上まわる。鼻息は蒸気機関の排気のように規則的で重々しく、旺盛《おうせい》な体力を物語っている。わずかに動いたときにその恐ろしい緑の双眸《そうぼう》が光った気がした。不気味にこすれる音がするのは、そろそろと這《は》い寄っている証拠か。

「突っこんでくるぞ」僕はライフルの撃鉄《げきてつ》を上げた。

「撃つな、撃つな！」ジョン卿がささやき声で止めた。「こんな静かな夜の銃声は何マイルも先まで届く。最後の切り札にしろ」

「垣根を跳《と》び越えてきたら終わりだぞ」サマリーの声は神経質な笑いで震えている。

「いや、跳び越えてはきません」ジョン卿は叫んだ。「ぎりぎりまで撃たないで。わたしがなんとかします。一か八《ばち》か」

それはとてつもなく勇敢な行動だった。ジョン卿は焚き火にかがみこんで火のついた枝を一本握ると、茨の門にもうけておいた小さな非常口からするりと外に出た。怪物は恐ろしい鼻息とともに前進してくる。ジョン卿はためらわずに軽いステップで駆けよると、その火のついた枝先を怪物の鼻先に突きつけた。一瞬、その恐ろしい顔が浮かび上がった。大きなヒキガエルのような顔に、疣《いぼ》だらけで皮膚病のように醜悪《しゅうあく》な皮膚。半開きの口は真新しい血で汚れている。次の瞬間には森の下生《したば》えを踏みつぶす音とともに、恐怖の訪問者は消えていた。

「思ったとおり、火は初めてだったようだ」ジョン卿は笑いながらもどってくると、枝を薪《たきぎ》のあいだに放った。

「なんて危険なことを!」僕らは声をあげた。

「ほかにしかたなかった。ここに跳びこんでこられたら、いっせいにライフルを使って僕らは同士討《う》ちになってしまっただろう。かといって垣根ごしに撃って手負いにしてしまったら、怒って突進してくる。こちらは逃れるすべがない。それを考えたら、うまく難を逃れたといえる。ところで、いまのやつの正体はなんですか?」

学者たちはためらいがちに顔を見あわせた。

「わしはいまの動物を明確に同定するにはいたらなかった」サマリーは焚き火でパイプに火をつけながら言った。

「明言を避けるのは適切な科学的態度といえるだろうな」チャレンジャーはわざとらしく謙《けん》遜《そん》した。「吾輩《わがはい》としても、今夜遭遇したのはなんらかの肉食恐竜であるという一般論以上のことは言えぬ。このような種類が台地上に生息しているという予想はこれまでも述べてきた」

「現代まで化石が残らなかった先史時代の動物も多いはずだ。ここで遭遇するものすべてに名前があると考えるのは早計《そうけい》だ」

「そのとおり。おおまかな分類にとどめるのが適切な態度だ。明日になれば同定に資する証拠がさらにみつかるだろう。それまでは中断した睡眠を再開すべきではないかな」

「そのためには寝ずの番が必要でしょう」ジョン卿は決然として言った。「こんな場所で無用な危険は冒せない。今後は二時間ずつもちまわりで見張りをもうけたほうがいい」

「ではせっかくパイプに火をつけたので、吸いながら最初の番を受け持とう」サマリー教授が言った。それからは見張りなしでは安眠できなくなった。

翌朝早々、夜半の眠りを破った恐ろしい絶叫の出どころを発見した。イグアノドンの草地が惨劇の現場だった。血の海と草地に散乱した大量の肉塊《にくかい》から、はじめは複数の動物が殺されたのかと思った。しかし肉塊を詳しく調べると、あのおとなしい大型獣一体分であることがわかった。襲ったのは体格的にあまり差のない、しかしはるかに凶暴な種類である。

二人の教授はしゃがんで白熱した議論をかわしながら、鋭い歯型や大きな爪痕《つめあと》が残る肉片を一つずつ調べていった。

「確定した判断はまだ下せぬ」チャレンジャー教授は白っぽい大きな肉片を膝につけたまま話した。「この痕跡はサーベルタイガー――現代の洞窟角礫岩《どうくつかくれきがん》からしばしば化石がみつかる動物によるものとよく似ている。しかし昨夜目撃したのはもっと体格が大きく、爬虫類《はちゅうるい》の特徴を有していた。個人的にはアロサウルスではないかと思う」

「あるいはメガロサウルスだな」

「そうだ。大型の肉食恐竜のいずれでもおかしくない。凶暴で古代の地球ではもっとも恐れられた種《しゅ》——そして現代の博物館ではもっとも人気のある種だ」チャレンジャーは自分の冗談に呵々大笑《かかたいしょう》した。めったに冗談など言わないのに、たまに下手な冗談を口にするとかならず大声で自画自賛するのである。

「声はひそめましょう」ジョン卿が冷ややかに言った。「近くにだれか、あるいはなにかいるかもしれない。朝食を求めてもどってきた犯人と鉢合《はちあ》わせしたら笑いごとではなくなりますよ。ところで、イグアノドンの表皮についているこの跡《あと》はなんでしょうか?」

鱗《うろこ》におおわれた光沢《こうたく》のない灰青色《かいせいしょく》の皮を見ると、肩の上あたりに奇妙な黒い跡が丸くついている。瀝青《れきせい》のような物質が付着しているのだ。これがなにを意味するのかだれもわからない。サマリーは二日前に見た幼獣に同様の跡がついていたと述べた。チャレンジャーは口を閉じている。しかしもったいぶって偉そうで、話してほしければ話してやらんでもないという態度である。とうとうジョン卿がご意見を拝聴したいと依頼した。

「かたじけなくも閣下より発言のお許しがあるのなら、よろこんで意見を具申《ぐしん》いたしましょう」皮肉たっぷりにチャレンジャーは言った。「貴族の方々にとって常識的な習慣にも吾輩は疎《うと》く、あたりさわりのない冗談ににこりとするにも許可が必要とは心得ませなんだ」

ジョン卿の謝罪を受けいれてようやくこの短気な教授は矛《ほこ》をおさめた。機嫌をなおしたチャレンジャーは、倒木《とうぼく》に腰かけて長い講義をはじめた。いつもの癖で千人の学生に貴重な教えを垂れるかのように話す。

「この跡については、わが友にして同僚のサマリー教授に同意したい。付着しているのは瀝青である。この台地は本質的に火山活動の産物であり、瀝青は地殻《ちかく》の力と深く関係している。液体状態で存在しているのはまちがいなく、この生物はそれと接触したのだろう。しかしもっと重要な問題は、この空き地の痕跡《こんせき》から明白なとおり、肉食恐竜が存在しているという事実である。この台地の面積はおおまかに見てイギリスの平均的な州に満たないくらいである。このかぎられた土地に一定数の動物が生息している。下界ではとうに絶滅した種類が、ここではとほうもなく長い年月にわたって共存している。その長期間に肉食種が無制限に繁殖すれば、食料が枯渇《こかつ》するのは目に見えている。そうなったら肉食性を変えることをよぎなくされるか、飢《う》えて絶滅するかしかない。しかし観察するかぎりどちらにも至っていない。となると、この凶暴な恐竜の頭数《あたまかず》を抑えるなんらかの制限があって、自然のバランスがたもたれていると考えるしかない。その制限とはなにか、どのように働くのかを解明することが興味深い問題の一つである。この肉食恐竜を間近に研究する機会がいずれ訪れると信じたい」

「そんな機会は訪れないと信じたいですね」僕は言った。

生意気な生徒の的《まと》はずれな意見を聞いた学校教師のように、教授は太い眉毛を上げた。

「サマリー教授のご意見もうかがいたいものだ」チャレンジャーは言った。二人の賢人《けんじん》は、食料供給の減少が生存競争の制限要因として働くことで出生率がどう変化するかについて、高尚《こうしょう》な科学的雰囲気のなかで議論をはじめた。

その午前中は台地の狭い部分を調べながら地図に書きこんでいった。ただしプテロダクティルスの沼は避け、川の東岸だけにとどめた。西岸は木が茂って下生えも混んでいるため歩きにくいからだ。

さて、ここまでメープルホワイトランドの恐怖について書きつらねてきたが、この土地にはべつの側面もある。午前中は美しいお花畑ばかりを歩いた。ほとんどは白や黄色の花で、教授たちによるともっとも原始的な花の色だという。地面がすっかりそれらの花でおおわれた場所も多く、その美しく柔らかい絨毯《じゅうたん》に足首まで沈みながら歩くと、甘く強い香りに包まれて陶然《とうぜん》となる。イギリスでも見かけるありふれた蜂《はち》が飛びまわり、通りすぎる木々の枝は果実の重みでしなっている。果実は見当のつく種類もあれば見慣れないものもある。鳥がついばむようすを観察して毒のなさそうなものを選び、食事に味と彩《いろど》りをくわえた。密林を横断すると踏み固められた獣道《けものみち》にいくつもぶつかった。湿地に近い場所には奇妙な足跡が無数にあった。そのなかにはイグアノドンのものも多く、実際に数頭が森のなかで草をはんでいる場所に出くわした。ジョン卿は望遠鏡で観察し、それらにも瀝青の跡がついていると報告した。ただし早朝に調べたものとは汚れている場所がちがう。この意味するところを僕らは測りかねた。

小型動物もいろいろ見かけた。ヤマアラシや鱗におおわれたアリクイ。白黒まだらで曲がった長い牙《きば》を持つ猪《いのしし》。木立の切れめから遠くの開けた緑の丘陵《きゅうりょう》がのぞき、そこをかなりの速度で走る灰褐色《はいかっしょく》の大型動物が一頭見えたことがあった。あっというまだったので正体ははっきりわからない。ジョン卿が言うように鹿だとすれば、祖国の沼沢地《しょうたくち》からときどき発掘される巨大なオオツノジカに匹敵する大きさだ。

野営地が謎の訪問者に侵入されて以来、帰るときはいつも不安がつきまとった。しかし今回はなにも荒らされていなかった。その晩は現状と将来の計画について幅広く議論をかわした。これについてはやや詳しく書いておきたい。というのも、これをきっかけに考え方を変え、おかげで従来の探索では得られなかったメープルホワイトランドの広範な知識が手にはいったからだ。議論の口火《くちび》を切ったのはサマリーである。朝から気難しい顔だった彼は、ジョン卿から明日の予定を聞かされるうちに苛立ちが頂点に達したらしい。

「今日やるべきことも明日やるべきことも、それどころか毎日やるべきことはあきらかだ。この陥穽《かんせい》からの脱出法を探すことだ。諸君はこの土地にはいることばかり考えている。しかし本当は出ることを考えるべきだ」

「これは驚いた」チャレンジャーが濃い髭《ひげ》をなでながら声を荒らげた。「科学者ともあろう者がそのような卑《いや》しい感情に支配されているとは。野心的な博物学者にとって天地開闢《かいびゃく》以来、最高に刺激的な場所にいるのだぞ。なのにここの地勢《ちせい》や動植物について表面的な知識すら手にいれずに去ろうと提案するとは、見そこなったぞ、サマリー教授」

「わしはロンドンで大規模な講座を持っているのだよ」サマリーは苦々しげに言った。「その学生たちはいまきわめて無能な代理講師の手にゆだねられている。きみとは立場がちがうのだ、チャレンジャー教授。わしの知るかぎり、きみは責任ある教職に就《つ》いたことがないからな」

「そうだとも。高度で独創的な研究をできる頭脳を矮小《わいしょう》な目的に使うのは冒瀆《ぼうとく》だ。ゆえに教職の提案はかたくなに断ってきた」

「たとえばどんな提案が?」サマリーが嘲笑《ちょうしょう》まじりに尋ねた。しかしジョン卿がすばやく会話の流れを変えた。

「わたしとしても、この場所について豊富な知識を得ず、手ぶらでロンドンに帰るのはきわめて遺憾《いかん》です」

「おなじく勤務先の新聞編集局に裏口から帰って、うるさいマッカードルに面会するのは気がすすみませんね」僕は言った(あけすけな表現はお許しください、編集員)。「取材をつくさずに現地を離れたとあっては許してもらえないでしょう。そもそも下りたくても下りられないのだから、議論するだけ無駄だと思いますが」

「この若き友人はみずからの知的欠損をいくばくかの原始的常識でおぎなっているようだ」

チャレンジャーは言った。「その卑しむべき職業がどうなろうと知ったことではないが、たしかに下りようがないのだから議論はエネルギーの無駄だ」

「これ以外の行動こそエネルギーの無駄だ」サマリーはパイプをくわえたまま言った。「思い出してもらいたいが、われわれは明白な任務を負ってここに来た。ロンドンの動物学協会の会合で託されたのは、チャレンジャー教授の発言の真偽をたしかめることだ。その発言についてはすでに裏付けを得たと認めてかまわぬ。つまり表《おもて》むきの仕事は終わった。この台地の未解明のことがらは膨大《ぼうだい》であり、より大規模で専門の装備をそなえた調査隊にまかせるべきだ。自分たちで調べようなどとしていると、結果的に生還がかなわず、すでに得た科学的知見も持ち帰れないことになるぞ。チャレンジャー教授はこの到達不可能に見えた台地に上がる手段を考案してくれた。その創意工夫を、今度はもとの下界へもどる方法を編み出すことに使ってもらいたいな」

サマリーの見解は理路整然としていると、僕は正直に思った。チャレンジャーもまた、自分の発言を裏付ける見解が懐疑派へ届けられなければ、論敵はいつまでも黙らないだろうと考えざるをえなかった。

「台地から下りるのは一見すると難題に思える。しかし知性をもって解決できないはずはない。メープルホワイトランドにおける長期滞在が現状で賢明ではなく、帰還問題に早めに取り組むべきだというわが同僚の主張に同意するのはやぶさかでない。しかしせめてこの土地の表面的な調査をすべきであり、おおまかな地図を作成することもなく撤退《てったい》するのは絶対に反対である」

サマリー教授は苛立たしげに鼻を鳴らした。

「その調査にまる二日費やしたが、全体的な地形の理解は初日からほとんど進んでおらん。鬱蒼《うっそう》とした森におおわれているので、それを突破しながら位置関係を把握するのは何カ月もかかる。中央に高い山でもあれば話はべつだが、これまでのところ奥へはいる道は下り坂ばかりだ。進めば進むほど全体は俯瞰《ふかん》できなくなる」

ひらめいたのはそのときである。野営地の上に大枝を伸ばしている銀杏《いちょう》の巨木《きょぼく》のねじれた幹《みき》に僕の目がとまった。幹まわりが抜きんでて太いなら、高さも抜きんでていよう。台地の縁が高いのなら、そこにそびえるこの巨木は全体を見晴らす物見台《ものみだい》になるのではないか。そして僕はアイルランドの野山を駆けまわっていた少年時代から木登りが大の得意である。岩登りではこの仲間たちにかなわないが、枝をつたうことにかけては第一人者の自信がある。最下段の大枝にさえ足をかけられれば、あとは梢《こずえ》まで登れないはずがない。仲間たちもこの案をよろこんでくれた。

「この若い友人は曲芸めいた運動が得意ということか」チャレンジャーは赤いリンゴのような頰《ほお》を丸く盛り上げた。「体重が増えて威風堂々としてしまった大人にはできぬことだ。その覚悟に感服したぞ」

「驚いたな、若者よ、それは名案だ！」ジョン卿に背中を叩かれた。「どうして思いつかなかったのか。日没まであと一時間もないが、ノートを持って登ればこの土地のおおまかなスケッチを描いてこられるだろう。弾薬箱を三個積めば、きみを枝まで持ち上げられるはずだ」

ジョン卿は箱を踏み段にして立ち、幹のほうをむいた僕をゆっくり持ち上げはじめた。そこにチャレンジャーが加わってその大きな手で押し上げたせいで、僕の体は枝のあいだに飛びこみかけた。大枝に両腕でつかまり、足を強く掻《か》いて、まず体、続いて膝をその上にかけた。頭上にはうまい具合に三本の枝が梯子《はしご》のように出ており、そのむこうにも都合のいい枝があったので、すみやかに登っていくことができた。地面はたちまち見えなくなり、下は枝葉だけになった。たまに登りにくいところにも遭遇し、蔓《つる》を足がかりに八フィートから十フィート（二・四～三メートル）よじ登ったりもした。それでもおおむね順調で、チャレンジャーの野太《のぶと》い声も足もとにかなり遠ざかった。とはいえさすがに巨木で、見上げても枝葉の屋根が薄くなる気配はない。かわりに藪《やぶ》のようなものが茂っているところにぶつかった。どうやら寄生植物で、僕とおなじく枝を足がかりにしているらしい。体をそらしてむこうをのぞこうとして、そこで見たものへの驚愕《きょうがく》と恐怖であやうく転落しそうになった。

目のまえに顔があった。距離はほんの一、二フィート（三〇～六〇センチメートル）。その顔の持ち主である動物は寄生植物のむこうにしゃがみ、まったく同時にこちらをのぞきこんだようだった。人の顔である。すくなくとも猿よりはるかに人間に近い。縦長く、白っぽく、

にきびが点々とある。鼻は低く、下顎は突き出て堅い顎鬚がはえている。濃く太い眉毛の下の目は獣的で獰猛《どうもう》。敵意のうなりを漏らす口からは曲がった鋭い犬歯《けんし》がのぞいている。にらみつける目には憎悪と威嚇《いかく》がある。そこに強烈な恐怖の表情が浮かんだと思うと、枝が折れる音とともに緑の茂みのなかへ身をひるがえした。赤毛の豚のような背中がちらりと見えたあとは、枝と葉が揺れるばかりだった。

「どうした？　なにかしくじったのか？」下からロクストンの大声が聞こえた。

「見えたかい？」僕は両腕で枝にしがみつき、緊張したまま叫び返した。

「騒ぐ物音が聞こえ、きみの足が滑ったのが見えた。なにがあった？」

僕は猿人《えんじん》の突然の出現と奇妙な外見にショックを受けていた。下りてこの経験を仲間たちに話すべきだろうか。しかし巨木をここまで登ってきたのに目的を達しないまま地上にもどるのは癪《しゃく》だ。

そこで呼吸を整え、気をとりなおすために長めの休憩をしてから、ふたたび登りはじめた。一度枯《か》れ枝に体重をかけてしまい、両手だけでしばらくぶらさがった。それでも全体としては簡単な登りだった。しだいにまわりの葉が少なくなり、頬にあたる風から森のほかの木より高いところにいるとわかった。それでも最高点に達するまで外は見ないと決めて登りつづけた。やがて梢の枝が僕の体重をささえきれないところまで来た。具合のいい枝の股《また》に腰かけ、安定した姿勢をとってから、眼下に広がる壮大なパノラマをようやく眺めた。これが僕らの足を踏みいれた奇妙な土地である。

太陽は西の空に大きく傾いている。夕刻にしては明るく空気が澄んでいるおかげで、台地全体を見渡せた。この高さからだと楕円に見える。奥行き三十マイル（約四十八キロメートル）、幅二十マイル（約三十二キロメートル）程度だ。おおまかな形状は浅いすり鉢《ばち》状で、下り坂が集まった中心に大きな湖がある。湖畔《こはん》一周は十マイル（約十六キロメートル）くらい。湖面は緑で、西日が美しく映《は》えている。湖岸は太い帯状の葦原《あしはら》に巻かれている。湖面には黄色い砂洲《さす》がいくつかあり、夕日を浴びて金色に輝いている。それらの水際に黒く細長いものがいくつも横たわっている。ワニにしては大きすぎ、カヌーにしては長すぎる。望遠鏡でのぞくとあきらかに生きて動いている。しかし正体は想像がつかない。

僕らがいる側は中央湖までゆるやかに五、六マイル（約八〜十キロメートル）下る斜面で、森のなかに空き地が点々とある。すぐそばにイグアノドンの草地があり、すこし先の丸く森が開けたところにプテロダクティルスの沼がある。湖のむこう側の地形はまったく異なる。台地の外の玄武岩《げんぶがん》の断崖とおなじものがこの内側にもあり、高さ二百フィート（約六十メートル）くらいの崖をつくっている。その下は森におおわれた斜面だ。赤い崖の下側で地面よりやや高いところに、黒い穴が並んでいるのが望遠鏡で見えた。おそらく洞窟の入り口だろう。その穴の一つに白いものがまたたいているように見えたが、それがなにかは判別できなかった。僕は日没まで膝の上のノートにこの地形を描いた。暗くなって詳細が見えなくなると、あきらめて枝を下りていった。巨木の下では仲間たちが僕の帰りを待ちわびていた。このときばかりは遠征から帰った英雄の気分になった。自分で考え、自分で実行し、その結果として地図が手にはいった。未知の危険を冒して一カ月も手探りで歩きまわる必要がなくなった。全員が真顔《まがお》で握手してくれた。その地図の詳細について議論するまえに、まず枝の上で遭遇した猿人について話した。

「あいつはずっとまえからこの木の上にいたはずです」僕は言った。

「そう思う理由は?」ジョン卿が尋ねた。

「悪意ある視線を感じていたからですよ。話しましたよね、チャレンジャー教授?」

「たしかにそのようなことをこの若い友人は言っていた。ケルト人の気質を受け継ぐ血筋ゆえにそういう感覚が鋭いのだろう」

「テレパシー仮説は――」サマリーがパイプの煙草《たばこ》を詰めながら言いかける。

「――いま議論するには範囲が広すぎるな」チャレンジャーが断言した。そして日曜学校の司教のような態度で続けた。「とにかく、まず教えてくれ。きみが見たその動物は、親指を手のひらの上に曲げることができたか?」

「そこまでは観察できませんでした」

「尻尾《しっぽ》はあったか?」

「ありません」

「足指に把握力はあったか?」

「枝の上をあれほどすばやく逃げるには、足で枝をつかめないと無理でしょう」

「南米に生息する猿は、吾輩の記憶では——ちがっていたら指摘してくれたまえ、サマリー教授——三十六種にのぼる。そのなかに類人猿は知られていない。しかしこの台地には存在するようだ。しかもゴリラのように毛深くはないらしい。ということは、アフリカや東洋の種類とは異なる」(僕は教授自身を見ながら、西ケンジントンでその近縁を見たことがあると口をはさみたくなった)「顎鬚があり、色は薄い。後者の特徴からすると昼間は樹木の奥に隠れているのだろう。問題は、それが種《しゅ》として猿に近いか人間に近いかだ。後者であれば、俗にいう〝ミッシングリンク〟に相当する可能性もある。この問題の解決こそ喫緊《きっきん》の課題である」

「ちがう」サマリーがふいに口をはさんだ。「マローン君の知性と行動のおかげで——」(この言葉はしっかり書きとめたい)「——地図を得たいま、喫緊の課題はこの忌《い》まわしい場所から全員が無事に脱出すること以外にない」

「安楽を求める文明だな」チャレンジャーが低く言った。

「学識を求める文明だよ。ここで得た知見を記録し、後続の調査隊にゆだねるのがわれわれの役割だ。それはマローン君が地図を届けてくれる以前からの同意事項のはず」

「まあ、たしかに吾輩としてもこの探検の成果が友人たちに確実に伝えられるほうが心安らかでいられる。この台地から下りる方法についてまだ案はない。しかしながら創意に富んだ吾輩の頭脳が問題に直面して解決策を見いだせなかったためしはない。明日からは脱出法に知恵を絞ると約束しよう」

それでこの問題は落着した。その晩は焚き火と一本の蠟燭《ろうそく》の明かりで、この失われた世界の最初の地図が検分《けんぶん》された。物見台でおおまかに観察した地勢の特徴は位置関係とともにすべて描《か》きこんでいる。チャレンジャーの鉛筆は湖をしめす大きな空白の上にとまった。

「これをなんと名付ける?」

「きみの名前を永遠に残すいい機会だろう」サマリーはいつもの辛辣《しんらつ》な調子で言った。

「吾輩の名前はもっと吾輩らしい業績によって後世に伝えられるはずだ」チャレンジャーは強い口調で答えた。「山や川に無価値な名前を残すようなことは無学な輩《やから》にやらせればよい。吾輩にそんな記念碑は無用だ」

サマリーが皮肉っぽい笑みでさらなる攻撃に出ようとしたところを、ジョン卿が急いでさえぎった。

「では若者よ、きみがこの湖を命名しろ。第一発見者だしな。きみが〝マローン湖〟と名付けることに異議を唱える権利はだれにもないさ」

「たしかにそうだ。若い友人に名前をつけさせよう」チャレンジャーも言った。

「では」僕は顔を赤らめながら、勇気をふるって言った。「グラディス湖としてください」

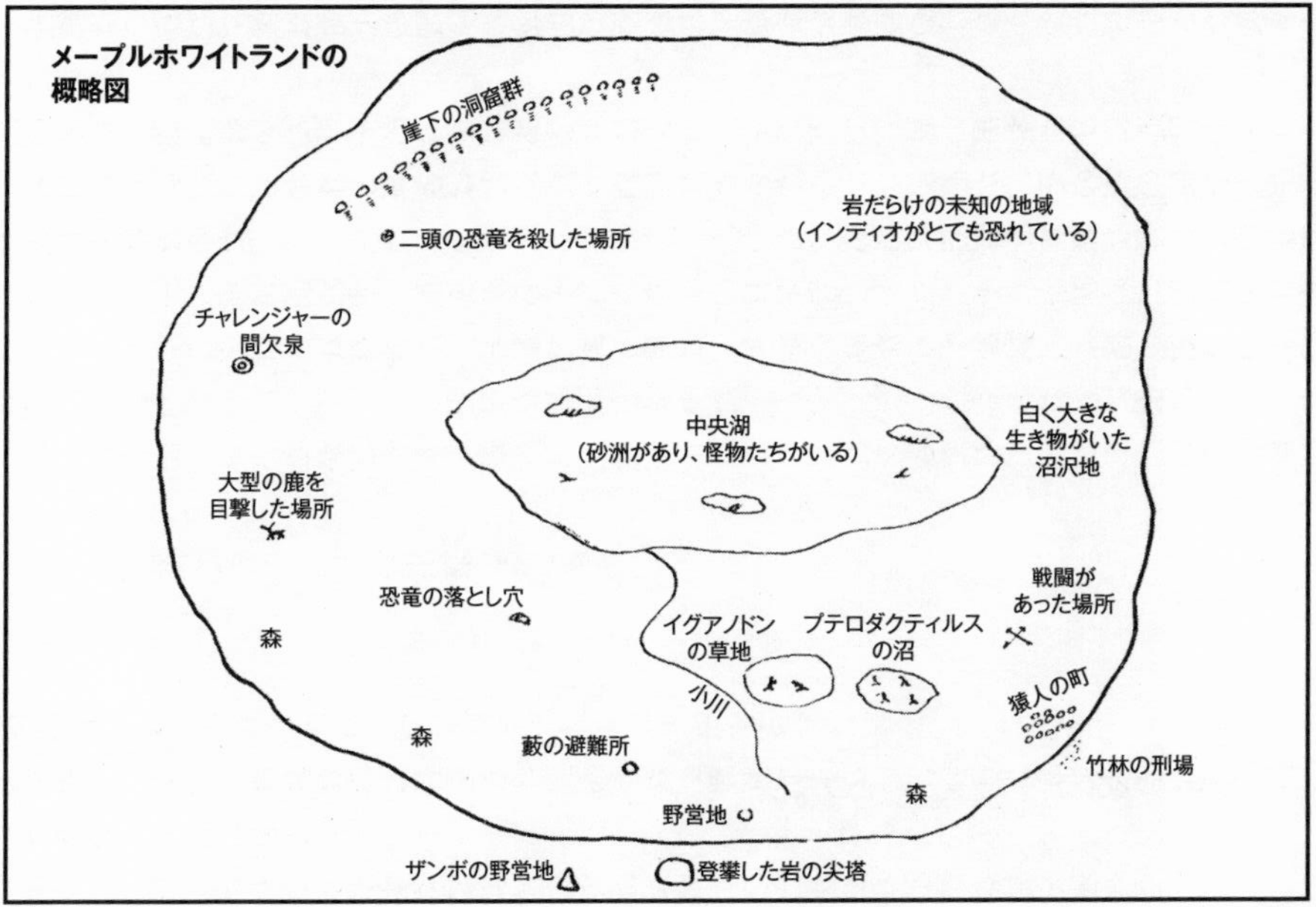
メープルホワイトランドの
概略図
崖下の洞窟群
二頭の恐竜を殺した場所
岩だらけの未知の地域
（インディオがとても恐れている）
チャレンジャーの
間欠泉
中央湖
（砂洲があり、怪物たちがいる）
白く大きな
生き物がいた
沼沢地
大型の鹿を
目撃した場所
恐竜の落とし穴
戦闘が
あった場所
イグアノドン
の草地
プテロダクティルス
の沼
森
小川
猿人の町
森
藪の避難所
竹林の刑場
森
野営地
ザンボの野営地
登攀した岩の尖塔

「中央湖のほうがわかりやすくてよいのではないか?」サマリーが意見を述べた。

「グラディス湖にします」

チャレンジャーは哀れみの目をむけ、あきれて理解できないというように大きな頭を振った。「若い者はこれだから。ではグラディス湖と決する」

12　森での恐ろしい出来事

前回の手記に書いたかどうか、最近は記憶が情けない混乱をきたして定かでないが、僕は有頂天《うちょうてん》になっていた。なにしろ困難な状況を救った——すくなくともおおいに役に立ったと、三人の仲間から感謝されたのだ。若輩《じゃくはい》である僕は、年齢のみならず経験、人格、知識のすべてにおいて一人前に満たず、最初から一行のなかの日陰者《ひかげもの》だった。それが初めて独自の仕事を成し遂げたのだ。そう思うとうれしくてならなかった。ああ、若者を無謀な行動に駆り立てる自尊心よ! じわりと輝きはじめたうぬぼれとささやかな慢心が、その夜の僕を人生最悪の恐怖体験へ導いた。その最後はあまりにショッキングで、思い出すたびに心臓が凍《こお》りそうになる。

経緯はこうだ。僕は樹上の冒険の成功で浮かれ、なかなか寝つけなかった。小さな焚《た》き火のそばにしゃがんだサマリーが当番の見張りをしていた。膝《ひざ》の上にライフルをおき、筋張《すじば》った老体と疲れた頭がこくりこくりと船を漕《こ》いで山羊鬚《やぎひげ》が揺れている。ジョン卿は南米特産のポンチョにくるまって静かに横になっている。チャレンジャーはいびきを盛大に森に響かせている。満月が明るく輝き、空気は冷たく爽快《そうかい》。いかにも散歩にふさわしい夜だ！　そのとき頭にひらめいたのである――　〝やればいいではないか〟と。こっそり物音をたてずに抜け出したらどうか。中央湖まで足を伸ばしたらどうか。そこでの記録とともに朝食までに帰れたらどうか。よりいっそう価値ある仲間としてもてはやされるにちがいない。そのあとサマリーが脱出方法を無事にみつけられたら、台地の中心にある謎の湖について直接観察した知識をロンドンに持ち帰ることができる。そこへ到達したのは全人類のなかで僕だけなのだ。〝英雄になる機会はどこにでもある〟というグラディスの言葉を思い出し、声が聞こえた気がした。マッカードルのことも考えた。三段組みの記事を書かせてもらえるかもしれない！　キャリア飛躍のきっかけになるだろう。次の大戦における特派員も夢ではない。僕はライフルを握った。ポケットには弾薬がたっぷりはいっている。茨《いばら》の防柵《ぼうさく》の門をすこしあけて外へ滑り出た。最後に見たのは、消えかけた焚き火のまえで壊れたおもちゃのように船を漕いで、僕の行動にすこしも気づかず、無意味な見張りを続けるサマリーの姿だった。

　ところが百ヤード（約九十メートル）もいかないうちにみずからの短兵急《たんぺいきゅう》を強く後悔しはじめた。この手記のどこかに書いたと思うが、僕は勇敢な男になるには想像力が強すぎ、それでいて失敗した姿を見られることへの強い恐怖がある。いまはその力に押されて足を進めていた。手ぶらでは帰れない。仲間たちが僕のゆくえを気にせず、心の弱みを知らないとしても、自分の魂《たましい》のなかの羞恥心《しゅうちしん》に耐えられない。その一方で現在の立場に震えが止まらず、名誉ある撤退をできるならなにをしてもいいとさえ思っていた。

森は怖い。木は鬱蒼《うっそう》と茂り、枝葉を広く伸ばしているせいで月明かりはろくにない。星空を背景に高い枝が複雑にからみあうようすがたまに見えるだけだ。それでも目が暗闇に慣れてくると、木々のあいだの闇にも濃淡が見えてくる。曖昧《あいまい》な影のなかに漆黒《しっこく》の影がある。それが洞窟《どうくつ》の入り口に思え、怖くなって足ばやに通りすぎた。思い出すのはイグアノドンの断末魔の悲鳴である。森じゅうに響き渡ったあの恐ろしい絶叫。ジョン卿が突きつけた枝先の火に浮かんだ疣《いぼ》だらけのたるんだ皮や血まみれの口が、記憶に蘇《よみがえ》った。あれの狩り場にいるのだ。名も知らぬあの恐ろしい怪物がこの闇の奥からいつ飛びかかってきてもおかしくない。足を止め、ポケットから一発分の弾薬を取り出した、銃尾《じゅうび》を開いてこめようとする。そのレバーにさわったとき、心臓が跳《は》ねた。これは散弾銃だ。ライフルのつもりでまちがえた！

引き返したい気持ちがまた強く湧いた。断念するいい口実だ。僕の弱さを糾弾《きゅうだん》する者はいないだろう。ところがまた愚かな自尊心がむくむくと頭をもたげた。失敗はできない。認められない。そもそもライフルを持っていても、ここで遭遇する危険に役に立たないという点では散弾銃とおなじだ。かりに銃を交換するために野営地《やえいち》にもどったとしても、気づかれずにはいってふたたび出るのは不可能だ。そうなったら説明しなくてはいけないし、単独行動はできない。すこしだけためらってから、勇気を奮い起こし、役に立たない武器を脇にかかえて前進を再開した。

森の闇も恐ろしいが、それ以上に恐ろしいのが白く静謐《せいひつ》な月光だ。開《ひら》けたイグアノドンの草地をその光が満たしている。僕は藪《やぶ》ごしにのぞいた。あの大柄な怪物たちは一頭もいない。仲間が悲劇に襲われた餌場《えさば》を避けているのかもしれない。霞《かす》んだ銀色の夜のなかに生きて動くものはない。僕は勇気をふるって足早にこの草地を横断し、反対側の森にはいった。道しるべの小川はすぐにみつかった。心安らぐ旅の友だ。さらさらと流れる音は、少年時代に夜の鱒《ます》釣りを楽しんだイングランド西部地方の懐《なつ》かしい川を思い出させる。この流れにそって下れば湖があり、さかのぼれば野営地に帰れる。茂った藪のせいで流れを見失うこともたまにあったが、耳を澄ませば水音はかならず聞こえた。

斜面を下るうちに森はまばらになり、藪のあいだにたまに高い木が生えるだけになった。おかげで進みやすく、また姿をさらさずに周囲を観察できるようになった。プテロダクティルスの沼のそばを通るときに、あの乾いた鋭い飛膜《ひまく》のはばたきが聞こえた。翼長二十フィート（約六メートル）以上の巨大な影が付近から空へ飛び立った。月を横切るときに飛膜が透《す》け、空飛ぶ骸骨のような姿が熱帯の白い光のなかに浮かび上がる。僕は藪のなかにしゃがんで隠れた。過去の経験からして、すこしでも声を漏らしたら恐ろしい仲間が百匹も集まってくるはずだ。その影が見えなくなって落ち着いてから、忍び足の旅を再開した。

動くものにはほとんど出会わなかったが、進むにつれて低いうなりに気づきはじめた。前方のどこかから連続して聞こえてくる。しだいに音は大きくなり、ついにはそばから聞こえるようになった。足を止めると一定の音になる。音源は動かない。やかんが沸くような、大きな鍋《なべ》がふつふつと煮えているような、そんな音だ。やがてその出どころがわかった。小さな空き地の中心に湖――というより池があった。トラファルガー広場の噴水の水盤《すいばん》くらいの大きさで、真っ黒な粘液《ねんえき》がたまり、底から噴き出るガスが表面で大きな水ぶくれをつくっては弾《はじ》けている。池の上の空気は熱でゆらめき、地面も熱くて素手でさわれない。この奇妙な台地を押し上げた巨大な火山活動は悠久《ゆうきゅう》の時をへてもまだ沈静化していないのだ。あちこちで見かける黒く変色した岩や溶岩の塊《かたまり》が、このあたりの茂った藪のあいだからものぞいている。古代の噴火口であるこの台地の内側でまだ活動が続いている証拠は、この瀝青《れきせい》の池が初めてだ。しかしゆっくり調べている暇はない。朝までに野営地にもどるには先を急がねばならない。

いつまでも記憶にこびりつきそうな恐怖の徒歩旅行だった。月明かりに皓々《こうこう》と照らされた広い空き地では、なるべく周辺の影のなかをこっそり移動した。森のなかでは僕自身もやってしまうが、大型獣が歩きながら枝を踏み折る音が聞こえると、どきりとして足を止めた。

大きな影がのっそりとあらわれることもあった。柔らかい足の裏で忍び歩く影は音もなく近づき、また去っていった。何度引き返そうと足を止めたことか。しかしそのたびに自尊心が恐怖を上まわり、目的を達するために進みつづけた。

とうとう（懐中時計によれば午前一時）木の間《こま》隠れにきらめく水面が見えてきた。十分後には中央湖を帯状に取り巻く葦原《あしはら》をかきわけていた。喉が渇いてたまらなかったので、うつぶせになって夢中で水を飲んだ。冷たくておいしい水だった。そこは広い通り道になって無数の足跡がついていることから、動物たちの水飲み場らしい。水際に独立した溶岩の小山があり、そこによじ登った。頂上で寝そべると全方位が一度に見渡せた。

まず目にはいったものに驚いた。巨木の物見台《ものみだい》からの眺めを説明したときに、遠くの崖に並ぶ黒い穴が洞窟の入り口らしく思えると書いたはずだ。いまその崖を見ると、あらゆるところに光の円が見えた。赤みがかった色で輪郭がはっきりしていて、まるで闇に浮かぶ客船の舷窓《げんそう》のようだ。火山活動による溶岩の輝きだろうか。しかしありえないと気づいた。火山活動なら穴の底で起きるはずで、あんな岩の高いところへ上がってくるはずがない。ではほかの可能性は？　驚くべきことだが、これしかないとわかった。あの赤い光は洞窟のなかの焚き火の反映だ。人間の手で焚かれている。この台地には人間が住んでいるのだ。この単独行の素晴らしい成果だ！　ロンドンに持ち帰るべき大ニュースだ！

僕は寝そべったまま、またたく赤い光を眺めつづけた。距離は十マイル（約十六キロメートル）くらいだろう。これだけ離れていても光の変化がわかる。焚き火のゆらめきか、だれかがそのまえを横切るのか。そばに近づいてのぞいてみたかった。この奇妙な場所に住みついている種族の外見や性格をどうにかして仲間に伝えられないものか。いますぐは無理だが、これについてなんらかの明確な知見を得ないまま台地から去るわけにはいかない。

グラディス湖――僕の湖は、水銀のように輝く湖面の中央に明るい月を映していた。水深は浅いらしく、あちこちに低い砂洲《さす》がある。湖面には生物の気配がいたるところに見られる。同心円の波紋だけが広がるときもあれば、魚が銀色の腹をきらめかせて跳《と》んだり、怪物の灰《かい》青色《せいしょく》の丸い背中が移動していくときもある。黄色い砂洲の上に巨大な白鳥のような動物がいた。不格好な体から長い首を伸ばして水際をよたよたと歩く。やがて水にはいり、曲げた首と前後に動く頭を水面上に出していたが、まもなく沈んで見えなくなった。

僕は遠くの眺めから足下のようすに注意を移した。水飲み場に大きなアルマジロのような動物が二頭出てきた。水際でしゃがみ、赤いリボンのように長く柔軟な舌を出し入れして水を飲んでいる。さらに立派な枝角《えだづの》を持つ大きな鹿の仲間があらわれた。王のような風格で雌《めす》と仔《こ》鹿二頭を引き連れ、アルマジロの隣でおなじく水を飲みはじめた。見たことがないほど巨大な鹿だ。ヘラジカが並んでもその肩までしか届かないだろう。ふいにこの鹿は警戒するように鼻を鳴らし、家族を連れて葦原に姿を消した。アルマジロも逃げていった。やがてべつのはるかに大きな動物が通り道にやってきた。

この怪物にはどこかで見覚えがある。不格好な胴体、丸い背中に並んだ三角の板状の突起、地面のすれすれにある鳥のような奇妙な頭。ステゴサウルスだ。メープル・ホワイトがスケッチブックに描き、チャレンジャーの注意を最初に惹《ひ》いた動物だ！　それが本当にあらわれた。もしかしたらアメリカ人の画家が遭遇したのとおなじ個体かもしれない。歩くと地響きがし、水を飲めば夜のしじまに大きな音を響かせる。僕がいる岩のそばに五分ほどとどまっていた。手を伸ばせば背中に並ぶ不気味な突起にさわれそうなほどだ。やがて、のそのそとむきを変えて岩のあいだに消えていった。

懐中時計を見ると二時半。そろそろ刻限だと考え、帰路についた。帰るべき方向はすぐわかる。左岸をたどってきた小川は、僕が寝そべる溶岩の小山のそばで中央湖にそそいでいる。僕は意気揚々《ようよう》と歩きはじめた。充分な成果を挙《あ》げ、仲間に伝えるべき新情報をたっぷり仕入れた。もちろんその第一は、洞窟に焚き火の光がゆらめき、穴居人《けっきょじん》かなにかが住んでいるらしいという話である。さらに中央湖で見たものを証言できる。水上には奇妙な動物が遊弋《ゆうよく》し、陸上にも見たことのない古代種の動物がいた。これほど奇妙な一夜をすごし、人類の知識に多くの新事実をつけくわえた者はめったにいないはずだと、歩きながら考えた。

そんなことをあれこれ反芻《はんすう》しながら斜面を上がり、帰路の中間くらいまで来たあたりで、ふと現状を意識した。背後で奇妙な音がする。いびきのような、低くうなるような音。強い威圧感がある。奇妙な動物が近くにいる。しかし姿は見えない。僕は足を速めた。半マイル

（約八百メートル）ほど進んだところで、ふいにまたその音が聞こえた。やはり背後からで、音は大きくなり、より威圧的だ。心臓が凍りそうになった。正体不明の動物に追跡されているのではないか。血の気《け》が引き、髪の毛が逆立った。ここの怪物たちがおたがいを喰《く》らいあうのは、生存競争の一場面として理解できる。しかし現代人がその対象になるのは話がべつだ。優越種であるはずの人類を彼らが意図的に追跡し、獲物として狩ると思うと、恐怖と驚愕《きょうがく》を感じる。ジョン卿の松明《たいまつ》に浮かび上がった血まみれの鼻面《はなづら》が脳裏に蘇った。『神曲』の最下層の地獄もかくやという恐ろしい光景だった。僕は膝を震わせて立ち止まり、皿のように見開いた目で月明かりのなかの背後の道をふりかえった。夢の風景のように静謐だ。銀色の空き地と黒い藪。ほかになにもない。しかしその静寂の奥から、ふたたび喉を低く鳴らす切迫して威圧的な音が、まえにもまして近く大きく聞こえてきた。疑う余地はない。なにかに追われている。刻々と迫ってくる。

僕は通過したばかりの空き地をふりかえって麻痺《まひ》したように立ちつくしていた。そこに突然そいつがあらわれた。空き地の反対側の藪が揺れ、大きな黒い影が形をなして、透明な月明かりのなかにぴょんと跳んで出た。〝ぴょんと跳んで〟と説明したのは、その怪物がカンガルーのような動きだったからだ。二本足で直立した姿勢から強力な後ろ脚で地面を蹴る。前脚は体の前面で曲げたまま。大きさや迫力はまるで立ち上がった象のようだ。しかし巨体に似あわず敏捷《びんしょう》だ。最初に姿が見えたときはイグアノドンであることを願っていた。あれは無害な性格だ。しかし、詳しくはわからないものの、まったくべつの種《しゅ》だとすぐ理解できた。温厚な鹿のような頭に三本指の足で立つ草食恐竜ではない。横長でつぶれたヒキガエルのような頭の怪物だ。野営地の僕らをおびえさせたやつによく似ている。凶暴な吠え声と獲物を追う強靭《きょうじん》な体力から、大型の肉食恐竜だと確信した。かつて地球上を歩いたもっとも恐ろしい生き物だ。その巨体でまえに跳び、前脚を下ろして、鼻を地面につけている。二十ヤード（約十八メートル）ごとにくりかえす。僕の臭跡《しゅうせき》を探しているのだろう。一時的に誤った方向へ進んでも、すみやかに方角を修正して僕がたどった道を追ってくる。

こうして書いていても、あの悪夢の時間を思い出すと額《ひたい》に汗がにじむ。どうするか。手にしているのは無用な鳥撃ち銃。これでは役に立たない。岩や木を求めて見まわしたが、あたりは藪ばかりで若木《わかぎ》くらいしか生えていない。背後の怪物は普通の木でも雑草のように引き抜けるのだ。となると逃げるしかない。でこぼこの地形ではすばやく走れないが、必死に見まわすと、踏み固められた獣道《けものみち》が前方を横切っている。探索中によく見かける、さまざまな動物の通り道だ。これにそって逃げれば追いつかれずにすむのではないか。脚力と体力は自身がある。無用な銃を捨てて、あとにも先にも経験のない必死の半マイル走をはじめた。腕や脚が痛み、胸は苦しく、喉は空気を求めてあえいだ。それでも背後におびえて走りに走った。とうとうつらくなって立ち止まる。逃げきれただろうかとつかのま思った。背後の道は静まりかえっている。ところが突然、木が折れて裂ける音と、地響きのような足音と、荒々

しい獣の咆哮《ほうこう》とともに、怪物がふたたび襲ってきた。すぐ背後だ。やられた。

どうして逃げずに立ち止まったりしたのか。それまで敵は臭跡を追っていたので動きが遅かった。ところが走りはじめた僕の背中をみつけてからは、視覚で追いはじめた。獣道をたどれば逃げる方向は一目瞭然《いちもくりょうぜん》だ。そうやって角《かど》を曲がってあらわれた怪物は、地面を強く蹴って驀然《ばくぜん》と突進してきた。大きく飛び出た目や、開いた口に並ぶ太い歯や、短く強力な前脚から伸びた爪の光る先端が月明かりではっきり見える。僕は恐怖の悲鳴をあげて敵に背をむけ、獣道を必死に走りはじめた。背後からは怪物の荒い鼻息が迫ってくる。重い足音がうしろに響く。いまにもその爪が背中にかかりそうだ。そのとき、突然の出来事にみまわれた。どこかに落ちる感覚があって、あとはすべて闇に包まれた。

意識がもどると——気を失っていたのはせいぜい数分のはずだ——不快な臭気が鼻をついた。闇のなかを探った片手は、大きな肉塊《にくかい》のようなものにさわり、反対の手は太い骨をつかんだ。上には丸い星空がある。どうやら深い穴の底に横たわっているらしい。よろめきながらゆっくり立ち上がり、全身の状態をさわってたしかめた。あちこち痛くて筋肉が張っているが、動かない腕や脚はなく、曲がらない関節もない。転落するまでの出来事が混乱した頭に蘇り、恐怖の目で見上げた。淡い星空を背景に恐ろしい頭のシルエットが浮かんでいるのを予想したが、そんなことはなかった。物音も聞こえない。ゆっくりと歩きながら、この幸運な落とし穴のようすを手探りした。

前述のとおり深い穴で、壁の傾斜はきつい。底は平坦で直径二十フィート（約六メートル）ほど。底には大きな肉塊が散乱し、腐敗が進んでいる。吐き気をもよおす悪臭が充満している。腐った肉につまずきながら歩いていると、ふいに硬いものにぶつかった。穴の中心に棒が立てられている。高くて先端には手が届かないが、側面はべとべとしている。

ポケットにブリキ缶入りの蠟《ろう》マッチがあることをふいに思い出した。それを擦《す》った火明かりで、ようやく自分が転落したこの場所の正体を理解した。まちがいない。狩猟用の罠《わな》――人間の手になるものだ。高さ九フィート（約二・七メートル）くらいの中心の棒は、先端がとがり、串刺しにされた動物たちの古い血で黒く汚れている。まわりに散らばっている肉塊は、かかった獲物を切り裂いてどかし、次の獲物にそなえた跡《あと》だろう。チャレンジャーが、この台地の上で人間は生存できないはずだと話していたのを思い出した。人間の脆弱《ぜいじゃく》な武器はこの土地を闊歩《かっぽ》する怪物に通用しないと。しかし、そうではないことが証明された。正体不明の地元民は、大型恐竜がはいれない入り口の狭い洞窟に隠れ住み、発達した脳でこのような罠を考案したのだ。そして動物たちが頻繁に通る獣道にしかけて、上を枝葉でおおい、力もすばやさも上まわる敵を殺している。やはり人間こそ優越種なのだ。

穴の側壁は傾斜しているとはいっても、力のある大人なら登れるはずだ。しかし殺される寸前だった僕は、恐ろしい怪物の勢力圏にもどっていいものかとためらった。近くの藪にひそんで獲物が顔を出すのを待っているのではないか。しかしそこで、チャレンジャーとサマ

リーが大型恐竜の習性について話していたことを思い出した。この怪物たちは脳容積が小さくて、知性が宿る余地はとてもなく、きわめて愚かだという点で二人の意見は一致していた。絶滅したのもその愚かさのせいで、環境変化に適応できなかったのだ。

怪物が獲物に起きたことを理解しているという前提で僕は隠れている。その理解には原因と結果を結びつける頭のよさが必要だ。しかし実際には恐竜はもっと頭が悪く、曖昧な捕食《ほしょく》本能にしたがって行動しているだけらしい。とすると、僕がふいに姿を消した時点で立ち止まり、しばし茫然《ぼうぜん》としたあと、次の獲物を探して歩き去ったのではないか。僕は穴の縁に這《は》い上がって外をのぞいた。空は白《しら》んで星は消えかけている。朝の冷たい風がさわやかに頬《ほお》をなでる。敵の姿はなく、物音も聞こえない。そろそろと這い出して地面にしゃがんだ。危険があればすぐに穴へもどれるように身がまえていた。しかしあたりは完全に静かで、しかも明るくなっていることに勇気づけられ、意を決して来た道をもどりはじめた。しばらく先で銃を拾い、またしばらく先で目印の小川に出た。あとは何度も背後をふりかえりながら帰路を急いだ。

ふいに仲間の存在を思い出させることが起きた。澄んで凪《な》いだ朝の空気を裂いて、遠くで一発の銃声が鳴ったのである。僕は足を止めて耳をすました。しかし音はそれっきりだ。仲間がなんらかの危険に遭遇しているのかとしばし緊張する。しかしごく単純で自然な説明が頭に浮かんだ。もうすっかり朝だ。僕が森で迷子になっていると思った仲間は、野営地の方角を教えるためにあえて銃声を響かせたのではないか。銃の使用はきびしく制限していたが、窮地《きゅうち》の僕を救うためなら使用をためらわないようだ。ならばこちらは急いで帰って安心させよう。

疲労困憊《こんぱい》しているせいで脚が重かったが、なんとか見覚えのある地域にもどってきた。プテロダクティルスの沼を左に見て進み、イグアノドンの草地が正面にあらわれた。最後の樹林帯を抜けたらチャレンジャー砦《とりで》だ。仲間たちの心配をやわらげようと明るく大声をあげた。しかし返ってきたのは不気味な沈黙で、楽観的な気分は消えた。足を速めて走りだす。防柵が見えた。積み上げた茨はもとのままだが、門があけっぱなしになっている。そこへ駆けこんだ。冷たい朝の光のなかに恐ろしい光景が広がっていた。物資がなにもかも地面に散乱している。仲間の姿はない。くすぶる焚き火の灰のそばで草が赤く汚れ、不気味な血だまりができている。

この状況に衝撃を受けて、僕はしばらく理性を失ってしまったらしい。だれもいない野営地周辺の森を走り、仲間の名前を大声で呼んだ記憶が悪夢の残滓《ざんし》のように頭に残っている。しかし森陰は静まりかえって返事はなかった。もう彼らと会えないのかと思い、恐怖にとらわれた。この非情な場所で一人きりになったのか。下界にもどる手段はなく、悪夢の台地で孤独に生きて死ぬのか。そう思うと頭がおかしくなりそうだった。髪をかきむしり、絶望して頭を叩いたかもしれない。自分がいかに仲間を頼っていたかに気づいた。泰然《たいぜん》として自信

にあふれたチャレンジャー。すぐれた技量とユーモアと冷静さをもつジョン卿。彼らがいなくては僕は暗闇の子どものように無力で無能だ。どこへ行けばいいか、なにをすればいいかわからない。

しゃがんでひたすら狼狽《ろうばい》して時間をすごすうちに、ようやく頭が働きはじめた。仲間を襲った突然の災難について推測しはじめた。野営地全体の荒らされぶりから、なにかに襲われたのはまちがいない。銃声が聞こえたのがその発生時刻だろう。一発だけだったことから短時間の出来事だと思われる。ライフルはすべて地面に転がっている。一挺《ちょう》はジョン卿ので、銃尾を開くと発砲ずみの薬莢《やっきょう》が残っていた。チャレンジャーとサマリーの毛布は焚き火のそばに残され、当時は二人とも眠っていたと思われる。弾薬と食料の箱は散乱している。カメラと感光板のケースも同様だが、持ち去られてはいない。一方で箱から出ていた食料品――相当量があったはずだ――はなくなっている。ということは、襲ったのは地元民ではなく動物だ。人間なら残さず運び去ったはずだ。

しかし動物だとしたら、それが複数にせよ一匹にせよ、仲間たちはどうなったのか。凶暴な怪物なら、殺されて遺体の一部にせよ残っているはずだ。不気味な血だまりが暴力の痕跡《こんせき》としてある。未明に僕を追ってきたような肉食獣は、鼠をとらえた猫のように獲物を運び去る習性があるのだろうか。そうだとすると、あとの二人はそれを追っていった可能性がある。しかしそれならライフルを持っていくはずだ。疲れて混乱した頭で考えても合理的な説明は浮かんでこなかった。周辺の森を調べても推理に役立ちそうな痕跡はみつからない。そんなことをしているうちに道に迷い、一時間ほどさまよってから、運よく野営地にもどってこられた。

ふとあることを思いついて心に希望の灯《ひ》がともった。完全に孤独ではない。崖下には呼べば返事をする忠実なザンボがいるではないか。すぐに台地の縁へ行って下を見た。ザンボはたしかにいた。ささやかな野営地の焚き火のそばで広げた毛布の上にしゃがんでいる。驚いたことに、そのむかいに男がもう一人すわっていた。僕はよろこびかけた。仲間のだれかが無事に下りられたのかと思ったのだ。しかしよく見ると希望は消えた。朝日に照らされたその男の肌は赤い。インディオだ。僕は大声で呼んでハンカチを振った。ザンボはすぐに顔を上げて手をふり返し、岩の尖塔《せんとう》を登りはじめた。まもなく間隙《かんげき》のむこう側に来て、僕が話すこれまでの出来事を心配そうな顔で聞いた。

「悪魔にやられたんだよ、マローンさん。そこは悪魔の土地だ。みんなつれていかれたんだ。悪いことはいわねえ、マローンさん。はやく下りてきな。でないとあんたもつれてかれる」

「どうやって下りろっていうんだ、ザンボ?」

「木に巻きついた蔓《つる》があるだろう、マローンさん。それをこっちに投げな。切り株に結びつければ橋になる」

「その方法は考えた。でも体重をささえられるような蔓がこちらではみつからないんだ」

「ロープがほしいって伝言しなよ、マローンさん」

「その伝言をだれが、どこへ届けるんだ?」

「インディオの村へ届ければいいよ。インディオの村には革のロープがたくさんある。ここにインディオがいる。そいつに届けさせる」

「下にいるのはだれなんだ?」

「いっしょに来てたインディオの一人だよ。あとの連中から乱暴されて金を奪われたらしい。だからもどってきた。手紙を運ばせるのも、ロープを持ってこさせるのも、なんでもできる」

手紙を運ばせるのか。渡りに船だ。助けも呼べるかもしれない。すくなくとも無駄死ににはならずにすむ。科学のために得た知見を祖国の友人たちに届けられる。すでに二通分の手紙もしたためてある。今日じゅうに三通目を書けば最新の出来事を伝えられる。そこで、夕方もう一度登ってくるようにザンボに命じて、不安で寂しい昼を費やして昨夜の自分の冒険について書きしるした。インディオがもし白人の商人や蒸気船の船長に出会ったら渡してもらうための手紙も書いた。どうかロープを送ってほしい、僕らの命がそれにかかっていると懇願《こんがん》する内容だ。夕方、それらの書き物をザンボへ投げ渡した。一ポンド金貨三枚がはいった財布も放った。運んでくれるインディオへの報酬だ。彼はかならずロープを持ち帰ると何度も約束した。

この通信文が無事にマッカードル氏のもとへ届いたら、このような事情が背景にあることを知ってほしい。不運な特派員の消息がこれっきり途絶えたとしても、真実はこういうことだ。今晩はあまりに疲れ、絶望していて先行きを考える気になれない。明日はこの野営地を見失わないようにしながら、不運な友人たちのゆくえを探してみようと思う。

13 死ぬまで忘れられない光景

日没のもの悲しい広大な平原を一人で歩いていくインディオを、僕は崖の上から見送った。わずかな救出の希望を背負ったその影は、はるか遠い大河とのあいだに湧いて夕日で薔薇《ばら》色に染まった靄《もや》のなかに消えていった。

すっかり暗くなってから、荒らされた野営地《やえいち》にもどった。ザンボの焚《た》き火の赤い光が脳裏にいつまでも残った。下界で唯一の光がともったようすは、僕の暗い心のなかの忠実な彼の存在のようだ。それでもこの恐ろしい運命に見舞われた直後よりも気分はだいぶ明るくなっていた。僕らの成果が世間に伝えられることが慰《なぐさ》めだ。最悪の場合でも僕らの名前は残る。肉体とともに滅びるのではなく、艱難《かんなん》辛苦の成果とともに後世に伝えられる。

不運な野営地で眠るのは不安だった。とはいえ密林はもっと怖い。どちらを選ぶか。慎重に考えれば寝ずに警戒すべきだ。しかし疲れた体は無理だという。銀杏《いちょう》の大木によじ登ってみたが、丸い幹《みき》や枝の上では体が安定しない。うとうとしたとたんに転落して首の骨を折るのが関の山だ。あきらめて下りて、どうしようかと考えた。結局、防柵《ぼうさく》の門を閉じて、焚き火を三つ熾《おこ》してその三角形のあいだにはいり、夕食をたっぷり食べてぐっすり眠った。すると不思議にも、とてもうれしい形で目覚めることができた。日の出からまもない早朝、腕に手をかけられて驚いて目を開けた。神経が昂《たか》ぶり、手はライフルを探った。しかし冷たくほの暗い朝日のなかで、隣にしゃがんでいるのがジョン卿だと気づいてよろこびの声をあげた。

たしかにジョン卿だが、まるで別人だった。僕が野営地を出たときの彼は沈着冷静で礼儀正しく、整った身だしなみだった。しかしいまは顔面蒼白《そうはく》で目は血走り、長距離を必死に走ってきたように息を切らしている。頬《ほお》がこけた顔はすり傷だらけで血もにじんでいる。服はぼろ切れのようにちぎれて帽子はない。僕は驚いて目を丸くした。しかしジョン卿は質問を許さず、物資をかき集めながら言った。

「急げ、若者よ、急ぐんだ！」声高《こわだか》に言う。「時間がない。ライフルを持て。二挺《ちょう》だ。あとの二挺はわたしが持つ。弾薬は持てるだけ持て。ポケット一杯に詰めろ。そして食料をいくらか。缶詰《かんづめ》五、六個でいい。よし、充分だ！　話したり考えたりしている暇はない。走れ！でないとやられるぞ！」

寝ぼけまなこで、なにがどうなっているのか考える暇もなく、気がつくとジョン卿のあとを追って森のなかを必死で走っていた。ライフルを両脇にかかえ、あらゆる物資を両手いっぱいに持っていた。ジョン卿は茂った低木《ていぼく》のあいだを縫《ぬ》うように走り、やがて深い藪《やぶ》に来た。茨《いばら》の棘《とげ》も気にせずその奥へ駆けこむと、僕をそばへ引き寄せた。

「よし、ここなら安全だ」ジョン卿は息をはずませながら言った。「やつらの狙いは確実に野営地だ。まずそこへ行く。しかしこうすれば攪乱《かくらん》できる」

「どういうことですか?」僕は息を整えながら尋ねた。「教授たちは? やつらって?」

「猿人《えんじん》だ」ジョン卿は声を荒らげた。「とても野蛮なやつらだ! しかし声は抑えろ。やつらは耳がいい。目もいい。ただし鼻はきかない。見るかぎり臭跡《しゅうせき》を追うことはできないらしい。若者よ、きみはどこに行ってたんだ? うまくのがれたな」

僕は小声で手短《てみじか》に説明した。

「大変だったな」恐竜と落とし穴について聞いて、ジョン卿は言った。「たしかにここは安楽な静養地じゃない。ではどんなところか。こいつらの魔の手につかまって初めてわかった。わたしはギニアの人食い族にも遭遇したことがあるが、こいつらにくらべたらまるで貴族だ」

「なにがあったんですか?」

「早朝だった。学者の二人は起きたばかりで口喧嘩《くちげんか》もまだはじめていなかった。そこへ猿どもが降ってきた。木からリンゴが落ちるように飛び下りてきたんだ。闇にまぎれて集まり、野営地の頭上におおいかぶさった枝を重みでしならせたんだろう。その一匹の腹を撃ってやったが、混乱のなかでよってたかって三人とも地面にあおむけに押さえられてしまった。猿といっても棒や石を手に持ち、仲間同士でなにかしゃべっていたし、わたしたちの両手を蔓《つる》で縛《しば》った。これまで辺境の旅で見たどんな獣《けもの》より進んだ知能を持っている。つまり猿人だ。人類進化史上の失われた環《ミッシングリンク》だ。失われたままであってほしかったな。負傷した猿人はひどい出血で運ばれていった。わたしたちはかこまれた。やつらはまさに冷酷な殺人鬼の目だった。身長は人間とおなじくらいで力ははるかに強い。詮索《せんさく》好きで冷淡な灰色の目に、眉は赤毛だ。すわってただニヤニヤ笑っていた。チャレンジャーは臆病者ではないが、さすがに気圧《けお》されていた。それでもなんとか立ち上がり、こんなことはやめろと怒鳴りはじめた。突然のことでさすがに頭にきていたのだろう。異常なくらいに怒り、ののしった。相手が仇敵《きゅうてき》の新聞記者でもかくやというほどの罵詈雑言《ばりぞうごん》だった」

「猿人たちの反応は？」僕は仲間が耳もとでささやく奇想天外な話に夢中になっていた。話す本人は撃鉄《げきてつ》を上げたライフルを握りしめ、四方に油断なく目を配っている。

「ここまでかと観念したよ。ところが彼らのほうに新しい展開が起きた。なにやらぺちゃくちゃとおたがいにしゃべりはじめた。そして一匹がチャレンジャーの隣に並んで立ったんだ。きみも見たら苦笑せずにいられないぞ。まるで血縁者だ。わが目を疑った。族長らしい老齢の猿人は、いわばチャレンジャーの赤毛版だ。われらが友人のあらゆる特徴を誇張気味に持っている。短軀《たんく》に広い肩幅。丸くふくらんだ胸に猪首《いくび》。もじゃもじゃの赤い髭《ひげ》に太い眉毛。そして〝なんの用だ、この野郎！〟と言わんばかりの目つき等々。そんな猿人がチャレンジ

ャーの隣に立って肩に手をかけたさまは、まったく絵のようだったよ。サマリーの反応は異常なほどで、泣くほど笑いころげた。猿人も笑った――その声はまるで悪魔の高笑いだったがな。やつらはわたしたちを森の奥へ連れていった。銃や弾薬には手をふれなかった。危険なものとみなしたようだ。箱の外に出た食品はすべて持っていった。サマリーとわたしは少々手荒な扱いを受けた。この肌や服の状態を見ればわかるだろう。茨でもなんでもまっすぐ突っ切っていくんだ。猿人の皮膚は獣皮《じゅうひ》のように丈夫だ。チャレンジャーは無傷だった。四匹の猿人の肩にかつがれ、ローマ皇帝のように進んでいった。あれはなんの音だ?」

叩くような奇妙な音が遠くで聞こえた。カスタネットの音に似ていなくもない。

「来たぞ!」ジョン卿は言って、二連銃〝エクスプレス〟のもう一方の薬室《やくしつ》に銃弾をこめた。「きみも弾《たま》をこめろ、若者よ。捕まったら命はないから覚悟しろ。あれはやつらの興奮したときの騒ぎ声だ。猿人め! 襲ってきたら逆の意味で騒がせてやる。〝グレイ連隊の最後の抵抗〟とはいかない。〝死者と瀕死者にかこまれ、疲れた両手にライフルを握り締め〟など と愚か者が歌うとおりだ。まだ聞こえるか?」

「とても遠くに」

「あの程度の収穫では満足しないはずだ。森のあちこちを手分けして探しているだろう。さて、わたしの苦労話を続けよう。連れていかれた先はやつらの町だった。枝と葉で組んだ小屋が千戸ほど並んでいた。崖のそばの大きな森のなかで、ここから三、四マイル(五~六キロメートル）先だ。わたしはやつらの汚らしい手で全身を探られた。どれだけ洗っても二度ときれいにならない気がするほどだ。そして縛られた。縛り方は船乗りのように巧みだった。そのあと木の下であおむけに転がされた。ひときわ大柄なやつが棍棒《こんぼう》を片手にわたしたちを見張りはじめた。ここでいう〝わたしたち〟とはサマリーとわたしのことだ。チャレンジャーのやつは木の上で果実を食べて人生を謳歌《おうか》していた。実際には、果実をわたしたちに分けるように話をしてくれたし、縛った蔓を自分の手でゆるめてくれた。しかし瓜二つの族長と木の上にすわって意気投合し、猿人たちが音楽で陽気になるのを知って、〈打ち出せ、荒ぶる鐘《かね》よ〉をあの朗々たる低音で歌うようすは、まさに笑っていい場面だった。とはいえわたしたちは笑える気分ではなかった。当然だ。チャレンジャーはそれなりに自由に行動していたが、わたしたちはきびしく拘束《こうそく》されていた。きみが記録文書を持って逃げのびていることが唯一の慰めだったよ。

　では、若者よ、驚くことを教えよう。きみは焚き火や罠《わな》など人間が住んでいる証拠を見たと言ったが、わたしたちは人間の住民そのものを見た。小柄でうつむき加減のあわれなやつらで、それも無理はなかった。人間はこの台地の一方──つまり、きみが洞窟をみつけたむこう側に住み、猿人はこちら側を根城《ねじろ》にしている。そして血みどろの戦いを長年やっている。どうやらそういうことらしい。昨日、猿人は人間を十人以上つかまえ、捕虜として連行してきた。猿人たちの騒ぎぶりといったらなかったぞ。人間は赤い肌で、嚙《か》み傷やひっかき傷だらけで歩くのもままならないようすだった。猿人はその場で二人を殺した。一人については腕を引きちぎった。残虐《ざんぎゃく》きわまりない。人間たちは勇敢で悲鳴一つあげなかった。しかしこちらは血の気を失ったよ。サマリーは気絶した。チャレンジャーもその寸前だった。さて、敵は通りすぎたか?」

僕は耳をすましたが、森の静寂を破るのは鳥のさえずりだけだ。ジョン卿は話を続けた。

「若者よ、きみは命拾いをしたんだ。やつらは台地のインディオを捕虜にしたおかげで、きみのことを一時的に忘れた。そうでなければかならず野営地をふたたび襲ってきみをつかまえただろう。きみの主張どおり、猿人は最初から枝の上にいてわたしたちを観察していたんだ。だからもう一人いるはずだと知っている。ただ、新しい獲物が来るとほかのことを考えられなくなる。今朝きみを目覚めさせたのが猿人の集団でなく、わたしだったのはそのおかげだ。とにかくそのあと恐ろしい行事が実行された。まったく、あれほどの悪夢があるだろうか。崖下に鋭い竹が密生しているところがあっただろう。アメリカ人の骸骨をみつけた場所だ。猿人の町はその真上にある。そしてとらえた捕虜をそこへ飛び下りさせていた。よく探せば大量の骸骨がみつかったはずだ。崖っぷちに広い練兵場《れんぺいじょう》のようなところがあって、そこで儀式めいたことをやった。あわれなインディオたちは一人ずつ飛び下りさせられた。彼らが岩に叩きつけられて粉々になるか、竹に串刺しにされるかを見て楽しむらしい。わたしたちも観客に加えられたし、部族の全員が崖っぷちに並んで眺めた。四人のインディオが飛び下り、まるでバターを編み棒で刺したように竹に串刺しにされた。あわれなアメリカ人の骸骨をつらぬいて竹が伸びているように見えたわけだ。恐ろしい眺めだった。同時に興味深くもあった。空中に身をひるがえすようすを夢中で眺めた。次にジャンプ台に立たされるのは自分たちだとわかっているのにな。

ところがそうはならなかった。インディオ六人を今日の分に残した——そのはずだ。しかしメインイベントはきっとわたしたちだろう。チャレンジャーはまぬがれそうだが、サマリーとわたしはリストにはいっているだろう。やつらの言葉は簡単な信号のようなものだから、おおまかな意味はとれる。そんなわけで脱走の頃合いだと判断した。しばらくまえから計画し、見張りのすきも一つ二つみつけていた。ただし一人でやる。サマリーには無理だし、チャレンジャーにも難しい。二人がたまに話すとあいかわらず議論だ。わたしたちを拘束している赤毛の猿人の科学的分類で意見が一致しないんだ。一方はジャワ島にもいたドリオピテクスだと言い、もう一方はピテカントロプスだと言い張る。わたしに言わせれば、二人とも頭がおかしい。ばかだ。しかし考えるうちに、こちらに有利な点にいくつか気づいた。まず、猿人は平地で走ったら人間ほど速くない。脚は短くがに股《また》で、体は重い。チャレンジャーが彼らの一番足の速いやつと競走しても百ヤード（約九十メートル）あたり数ヤードずつ引き離せるだろう。きみやわたしなら陸上選手なみに楽勝できる。次に、こいつらは銃を知らない。わたしが撃ったやつがなぜ血を流しているか理解できていない。銃を回収できればこちらのものだ。

そこで今朝早く脱走してきた。見張りの腹を蹴りつけて倒し、野営地へ走ってもどった。そこできみと銃を発見し、いまここにいるわけだ」

「教授たちは?」僕は愕然《がくぜん》として声をあげた。

「もどって奪還するつもりだ。連れてくるわけにはいかなかった。チャレンジャーは木の上だし、サマリーは体力がない。銃を使って救出するしか方法はない。もちろん、仕返しとしてすぐに二人とも殺された可能性もある。チャレンジャーには手を出さないとしても、サマリーについては断言できない。しかしあのままではいずれそうなった。まちがいない。だからわたしが脱走したことで事態が悪化したわけではない。とはいえこれは名誉をかけた行動だ。逆襲して救出するか、二人とともにやられるかどちらかだ。きみも腹をくくれ、若者よ。夜までにはいずれか決着がつくはずだ」

ジョン・ロクストン卿のとぎれとぎれの話や、短く力強い文や、ユーモア半分無鉄砲半分の口調をできるだけ再現したつもりだ。彼は生まれついてのリーダーだ。危険になればなるほど態度は活発に、話し方は早口に、淡い青の瞳は熱く輝き、ドンキホーテのような口髭は楽しげにぴんと立つ。危険を愛し、冒険のドラマを強く――ふだん抑制しているだけになおさら強く――求める。人生におけるあらゆる危険はある種のスポーツであり、運命と人の熾《し》烈《れつ》な駆け引きで、死は敗者の罰にすぎないという考え方だ。そんな彼はこの状況で最高の仲間といえるだろう。ほかの仲間の運命が懸念《けねん》されるときでなければ、いっしょに危険に飛びこむのが楽しくさえあっただろう。藪の避難所から立ち上がろうとしたとき、ふいに腕に手がかかって引きもどされた。

「待て！　やつらだ！」ジョン卿はささやいた。

隠れた場所から、幹と枝にはさまれて緑のアーチがかぶさった茶色の通路が見えた。そこを猿人の一団が通っていく。猫背で膝《ひざ》を大きく曲げ、ときおり両手を地面につけて頭を左右に揺らしながら、一列で小走りに移動していく。身長は五フィート（約百五十センチメートル）あまりだろうが、猫背のせいでさらに低く見える。長い腕と発達した胸まわり。多くが棒を手に持ち、遠目には毛深く姿勢の悪い人間の行列のようだ。一時的にはっきり見えて、すぐに低木のあいだに消えていった。

「いまはまずい」ジョン卿はライフルを引っこめた。「やつらが捜索をあきらめるまで姿を隠しておくほうが無難だ。それから猿人の町へもどって弱点を叩こう。一時間待って、進軍はそれからだ」

それまでに食料の缶詰を一つあけて朝食をとることにした。ジョン卿は昨日の朝からわずかな果物しか口にしておらず、むさぼるように食べた。それからポケットいっぱいに弾薬を詰めこみ、ライフルを両手に一挺ずつ持って救出作戦を開始した。出発前にこの藪の避難所の位置とチャレンジャー砦《とりで》の方角をしめすひそかな目印をつけた。必要なときにまた隠れるためだ。低木のあいだを静かに通り抜けて崖っぷちへ出た。最初の野営地のあたりだ。しばらくしてジョン卿は足を止め、考えを述べた。

「茂った森のなかではやつらが圧倒的に有利だ。敵はこちらが見えるが、こちらは敵が見えない。しかし開《ひら》けた場所では逆だ。こちらのほうが速く動ける。だからなるべく開けたところにいよう。台地の端は内側より大きな木が少ない。だからそこを進む。ゆっくり、まわりに注意して、ライフルをかまえて。とにかく銃弾を残して降参するな。それが最後の指示だ、若者よ」

崖っぷちまで来たときに下をのぞくと、忠実な黒人のザンボが下の岩にすわって煙草《たばこ》を吸っているのが見えた。声をかけて状況を知らせたかったが、猿人に声を聞かれたら危険なのでやめた。猿人は森のあちこちにいるようだった。舌を鳴らすような奇妙な音が何度も聞こえた。そのたびに近くの藪にはいって息をひそめ、音が遠ざかるのを待った。そのため前進は遅々としていた。ジョン卿が慎重な動きになって目的地が近いと察せられたのは、二時間以上たってからだった。身を伏せて動くなと僕に合図して、ジョン卿は一人で匍匐《ほふく》していった。一分ほどして帰ってきたときには、その顔は興奮で震えていた。

「こっちだ！　急げ！　神よ、まにあうといいんだが」

僕も興奮と緊張に震えながら急いで前進し、彼の隣に伏せて藪ごしにむこうの空《あ》き地を見た。

それは死ぬまで忘れられない光景だった。奇怪で、ありえない眺めで、どうすれば読者に信じてもらえるだろう。もし僕が生きて帰って、数年後に〈サベージ・クラブ〉のラウンジでテムズ川ぞいの道のくすんだ寂しい風景を眺めながらこれを思い出そうとしたら、わがことながら信じられないはずだ。錯乱した悪夢か、高熱による譫妄《せんもう》に思えるにちがいない。しかし隣で湿った草の上に伏せている男が嘘か真実か証言してくれるはずである。

僕らのまえには開けた場所がある。奥行きは数百ヤードで、全体は緑の芝におおわれ、崖っぷちに低いシダがはえている。この空き地を半円形に木の列がかこみ、その枝のあいだに葉でつくった小屋が連なっている。木の上の鳥のねぐらがそれぞれ小さな家になっているところを思い浮かべてほしい。その家の窓や枝のすきまに猿人たちが鈴なりになっている。これが全体の背景である。そんな猿人たちは空き地の光景を熱心に見守っている。そして僕らもおなじところに視線を惹《ひ》きつけられ、狼狽《ろうばい》した。

空き地の崖っぷちに近いところに、まばらな赤毛をはやした連中が数百匹集まっている。いずれも体格がよく、恐ろしい形相《ぎょうそう》をしている。一定の規律があり、整然と並んでいる。そのまえにインディオの小さな集団がいる。小柄ですっきりした腕や脚を持つ赤い肌の連中だ。強い日差しでブロンズ色に輝いている。その隣に長身で痩《や》せた白人が立っている。うなだれて腕組みした姿勢から、恐怖と意気消沈ぶりが伝わってくる。筋張《すじば》った姿はまごうことなきサマリー教授だ。

この失意の囚人たちのまえと周囲に数人の猿人が見張りに立ち、逃亡を防いでいる。彼らからすこし離れて、崖のすぐそばに立つ二人の姿がある。とても奇妙で、こんな状況でなければ笑いたくなっただろう。それほど目立った。一人は僕らの仲間のチャレンジャー教授である。破れた上着の一部がまだ肩にひっかかっているが、シャツはほとんどちぎれて失われ、濃い髭と分厚い胸板《むないた》をおおう胸毛が黒くもつれている。帽子はなくなり、長旅のうちに伸びた蓬髪《ほうはつ》をふり乱している。現代文明の最高の知識人が、わずか一日で南米最悪の野蛮人に堕《だ》している。その隣に立つのがここの支配者、猿人の王である。ジョン卿の話のとおり教授に瓜二つ。ちがいは黒毛ではなく赤毛であるところだ。短身で恰幅《かっぷく》のいい体型。分厚い肩から前にたれた腕。胸毛ともつれた長い顎鬚。額《ひたい》だけは猿人らしく低く丸まっていて、高く広いヨーロッパ人の額とは対照的だ。しかし相違点はこれだけで、あとはどこをとっても教授のおかしな戯画《ぎが》である。

長々と描写してきたが、僕にとっては数秒間目に焼きつけたにすぎない。直後から動きが起きて、べつのことを考えるはめになった。猿人二匹がインディオ一人をその集団から引っぱり出し、崖っぷちへ引きずっていった。王が片手を上げて合図すると、猿人二匹はインディオの両手と両足をそれぞれつかんで、前後に大きく三回振った。そして恐ろしい力で囚人を崖のむこうへ放り投げた。勢いがついた体は一度高く上がって、落ちた。その体が僕らの視界から消えると、見張り以外の猿人たちは崖っぷちに駆けよった。長い不気味な沈黙。そ

れがはげしい歓喜の叫びに破られる。跳《と》びはね、毛むくじゃらの長い腕を高々と上げて歓喜に吠え叫ぶ。そしてもとの場所にもどって整列し、次の犠牲者を待ちはじめた。

次の順番はサマリーである。見張りの二匹がその手首をつかんで乱暴に前列へ引きずっていく。細い体と長い手足が抵抗してはげしく動き、まるで檻《おり》から引き出される鶏《にわとり》のようである。チャレンジャーが王にむきなおり、両手を大きく振っている。同僚の助命を懇願《こんがん》し、必死に訴えている。しかし猿人は彼を乱暴に押しのけ、首を振る。それがこの世での最後の動作になった。ジョン卿のライフルが発砲音を鳴らし、猿人の王は赤くもつれた塊《かたまり》になって崩《くず》れ落ちた。

「群れているところを狙って撃て！　撃て、若者よ！」隣の仲間が叫んだ。

尋常一様《いちよう》な男でも、心の奥底には奇矯奇《ききようき》態《たい》な赤い淵《ふち》が隠れていることがある。普段の僕は弱虫で、けがをしたウサギの悲鳴を聞いて涙したことさえ何度もある。しかしいまだけは血に飢《う》えていた。立ち上がって弾倉《だんそう》を次々に空《から》にした。銃尾《じゆうび》を開いては装塡《そうてん》し、撃ってはまた開く。殺戮《さつりく》の快楽と凶暴な高揚から歓喜の叫びをあげる。二人で四挺の銃を使って凄惨《せいさん》な虐《ぎやく》殺《さつ》をくり広げた。サマリーをつかまえていた見張りはどちらも倒れ、本人は混乱して酔漢《すいかん》のようによろめいている。自由の身であることに気づいていない。猿人の集団は右往左往するばかりで、この地獄絵図がどこからもたらされるのか、なにが起きているのかもわかっていない。阿《あ》鼻叫喚《びきようかん》の騒ぎのなかでおたがいにつまずき転倒している。そして突然、本能にした

がって口々にわめきながら森へ逃げ去った。あとに残ったのはその仲間の死屍累々《しかばねるいるい》。そして空き地のまんなかに立ちつくす囚人たちである。

チャレンジャーは回転の速い頭で状況を理解し、混乱したサマリーの腕をつかんでこちらへ駆け寄った。追ってきた二匹の見張りはジョン卿の銃弾二発で倒された。僕らは空き地へ出て二人を迎え、それぞれの手に弾をこめたライフルを握らせた。ただしサマリーは体力の限界で、よろめき歩くのさえ困難だ。猿人たちは混乱から回復し、低木をつたって襲ってきた。チャレンジャーと僕は左右からサマリーの肘《ひじ》をささえながら走り、ジョン卿は掩護《えんご》しながら退却した。叫声《きょうせい》とともに低木から飛び出してくる凶暴な頭を次から次に撃つ。猿人は舌を鳴らしながら一マイル（約一・六キロメートル）以上も追ってきたが、やがて追跡はまばらになった。こちらの強さを知り、正確無比なライフルに戦意喪失したらしい。野営地にたどり着いてふりかえると、追ってくる影はない。

そう思ったのはまちがいだった。防柵の茨の門を閉じ、手をとりあって泉のそばの地面にへたりこんで荒い息をついていると、門の外に足音が聞こえた。小さく哀れっぽい泣き声も聞こえる。ジョン・ロクストンがライフルを手に駆けより、門を開け放つ。そこには生き残った赤い肌のインディオ四人がいた。地面に平伏《へいふく》し、恐怖に震えながら、保護を求めている。一人が大げさに手を振って周囲の森を指さし、危険だらけであることを伝えてくる。そしてジョン卿の脚にすがりつき、顔を押しつける。

「弱ったな！」ジョン卿はおおいに困惑したようすで髭を引っぱった。「この連中をどうしよう。立ちたまえ、あわれな諸君。わたしのブーツから顔を上げろ」

サマリーはすわっていつものパイプに煙草を詰めている。

「守ってやるしかあるまい。きみたちは全員を死の淵から救ってくれたのだな。やれやれ、たいしたものだ」

「あっぱれ、あっぱれだ！」チャレンジャーが声をあげた。「個人としてだけでなく、ヨーロッパの科学界を代表してきみたちの行動に深謝する。サマリー教授と吾輩《わがはい》を欠いたならば現代動物学にとって大損失といわざるをえない。この若い友人ときみの貢献は素晴らしいものだ」

教授はいつもの鷹揚《おうよう》な笑みで僕らを見た。しかしながらそのヨーロッパ科学界も、未来の希望であるべき選ばれし子がこんな伸び放題の乱髪で胸をはだけ、ぼろ布をまとっている姿を見たらはなはだしく落胆するだろう。その格好で膝のあいだに肉の缶詰をはさみ、オーストラリア産羊肉《ひつじにく》を冷えた塊のまま指でつまんでいるのである。インディオが彼を見上げておびえた悲鳴をあげ、地面を這《は》ってジョン卿の脚にすがりついた。

「あわれな現地民を怖がらせないでくれませんかね」ジョン卿はインディオのもつれた髪をなでてやった。「チャレンジャー、あなたの姿に心胆《しんたん》を寒くしているんですよ。無理もない！　よしよし、大丈夫だ。彼はわたしたちとおなじ人間だぞ」

「あたりまえだ！」教授が大声で言う。

「とにかくチャレンジャー、あなたの変人ぶりが奏功しましたね。猿人の王に瓜二つだったおかげで――」

「ジョン・ロクストン卿、ものには言いようがあるだろう」

「事実ですよ」

「頼むから話題を変えてくれ。きみの見解は理不尽で理解不能だ。いまはこのインディオたちをどうするかが喫緊《きっきん》の課題だ。むろん、もとの住まいへ帰らせてやりたいが、それがどこだかわからない」

「それなら簡単です」僕は言った。「彼らの住まいは中央湖の対岸にある洞窟《どうくつ》ですよ」

「この若い友人が彼らの住まいを知っているのか。しかしそれなりに遠いはずだ」

「ゆうに二十マイル（約三十二キロメートル）はありますね」

サマリーがうめいた。

「わしの脚では無理だ。そもそも逃げる途中であいつらの吠え声が聞こえたぞ」

ちょうどそのとき深い森の奥から猿人のかん高く鳴き騒ぐ声が響いた。インディオたちはふたたび恐怖の悲鳴を弱々しく漏らした。

「ここは移動だ。急いで！」ジョン卿が言った。「若者よ、きみはサマリーを助けろ。インディオたちには食料をかつがせよう。さあ、みつかるまえに動くぞ」

三十分以内に一行は藪の避難所にはいって身をひそめた。野営地の方角からは興奮した猿人の呼び声が一日中聞こえていたが、こちらには近づいてこなかった。そのあいだに白人とインディオの避難者たちはぐっすり眠って疲れをいやした。僕もそうやって夕方にうとうとしていると、袖《そで》をつかまれて目を覚ました。隣にチャレンジャーがしゃがんでいた。

「きみはここでの出来事を日記に書いていずれ出版するつもりだな、マローン君」教授は真剣なようすである。

「僕は報道記者として同行していますから」

「そのとおりだ。ジョン・ロクストン卿の奇抜な見解も聞いただろう。つまり……だれかとなにかが瓜二つだとか」

「ええ、聞きました」

「そのような見解がおもてざたになるのは――事実を述べるきみの論調に軽薄な内容がまじるのは――言語道断《ごんご》だと思う」

「事実の範囲で書きます」

「ジョン卿の見解はしばしば荒唐無稽《こうとうむけい》にすぎる。威厳や人格に対して未開の種族がしめす尊敬の念を、はなはだしく曲解している。わかるか？」

「よくわかります」

「あとはきみの判断にまかせる」長い沈黙のあとにつけ加えた。「猿人の王は傑物《けつぶつ》だったよ。

高潔で知的な頭を持っていた。驚くべきことだと思わんか?」

「たいしたものです」

教授は懸念を解消したらしく、ふたたび眠りについた。

14　これこそが本物の征服

この藪《やぶ》の避難所は追跡者の猿人《えんじん》に知られていないと思っていた。それはすぐにまちがいと気づかされることになる。森は沈黙し、葉音《はおと》一つ鳴らずに森閑《しんかん》としていたが、猿人が狡猾《こうかつ》で辛抱強く観察し、機会をうかがうことを、初期の経験から思い出すべきだった。僕の命運がどんな形で尽きるにせよ、この朝ほど生命の危機に瀕したことはなかった。とにかく起きたことを順に説明しよう。

昨日の感情的な激動と栄養不足のせいで、僕らは疲れきったまま目を覚ました。サマリーは立つのもままならないほど弱っていたが、挫折を認めない不屈の精神力を持つ老人でもあった。会議の結果、この場で静かに一、二時間待機することにした。そのあいだに待望の朝食をとる。それから中央湖を迂回《うかい》して台地を横切り、僕の観察からインディオが住んでいるはずの洞窟《どうくつ》群へむかうことにした。救助した四人のインディオが取りなしてくれれば歓待《かんたい》が期待できる。僕らの任務はそれで完了だ。メープルホワイトランドについての完全な知識とともに、この台地からの脱出、帰還という最後の大問題に取り組めばよい。さすがのチャレンジャーも調査隊の目的は達したと認め、驚くべき発見の数々を文明世界へ持ち帰ることが今後の優先事項だと同意した。

ここにいたってようやく救助した台地のインディオたちを観察する余裕ができた。小柄だが筋肉は発達し、活動的で強靭《きょうじん》な体をしている。髪は黒く直毛で、頭のうしろで革紐《かわひも》を使って縛《しば》っている。下帯《したおび》も革製だ。顔に毛はなく、整った目鼻立ちでよく笑う。耳たぶの一部がちぎれて血がついているのは、耳飾りを猿人に引きちぎられたためらしい。言葉は聞いてもまったくわからなかった。自分たちを指さして「アッカラ」とくりかえすので、それが国の名前らしい。ときどき顔を恐怖と憎悪でゆがめ、まわりの森にむかって拳《こぶし》を振り上げて、「ドダ！　ドダ！」と言う。敵の名前にちがいない。

「どう思いますか、チャレンジャー教授？」ジョン卿が尋ねた。「一つだけはっきりわかるのは、頭の前側を剃《そ》り上げた男がこのグループのリーダーらしいということです」

たしかにその男はほかの仲間から離れたところに立っている。仲間は彼に話しかけるまえに深い敬意をしめす。最若年《さいじゃくねん》のようだが、とても気位《きぐらい》が高いらしい。チャレンジャーがその大きな手を彼の頭におくと、拍車をかけられた馬のように驚いて、黒い目をぎょろりと動かし、身を遠ざけた。そして胸に手をあてて威厳ある態度で、「マレタス」という言葉を数回くりかえした。教授は懲《こ》りずにべつのインディオの肩を抱きよせ、まるで瓶《びん》入りの標本を教室でしめすようにして僕らに講義をはじめた。

「この種族は、脳容積や顔面角《がんめんかく》やその他の試験方法で測っても、進化水準は決して低くないと思われる」朗々たる声で話す。「むしろ吾輩《わがはい》が知る南米の種族の多くとくらべても高い水準にある。こんな種族がこの場所で進化するのはどう仮定しても説明できない。そもそも、この台地に生存する太古の動物とあの猿人とのあいだにも大きな間隙《かんげき》がある。猿人もここで進化したとは考えにくい」

「ではどこから降ってきたと?」ジョン卿が尋ねた。

「その問題は欧米の科学界でこれから熱心に議論されるだろう。しかし推測をまじえて状況を解釈すると——」教授はそう言いながら、胸をふくらませて得意げに僕らを見まわした。

「——進化はこの台地の特殊な環境下で哺乳類《ほにゆうるい》の段階まで進んだと思われる。古代種《しゅ》は生き残りつつ、新しい種と共存してきたのだ。進化系統の先にいるバクや大型の鹿やアリクイといった現代的な動物が、ジュラ紀の爬虫類《はちゆうるい》と共存しているのはそのためだ。そこまではあきらかだが、今度は猿人とインディオが出てきた。その存在を科学的にどうとらえるべきか。これは外部からの侵入を考えるほかないと思う。おそらく南米にも類人猿が存在し、過去になんらかの方法でここに登ったのだろう。そしてあそこで見た連中に進化した。その一部の姿や外見は——」強い視線で僕を見ながら続けた。「——相応の知性をともなっていれば、現代のどんな種族にくらべてもひけをとらないと断言できる。ここにいるインディオについては、さらに時代が下ってから下界より移住してきたのだろう。飢餓《きが》ないし征服者の圧力からのがれてきたのだ。そして未知の凶暴な動物に遭遇し、この若き友人のいう洞窟に逃げこんだ。恐ろしい獣《けもの》たちと熾烈《しれつ》な戦いをくり広げたはずだ。とりわけ猿人は彼らを侵入者とみなし、大型動物にはない狡知《こうち》でもって無慈悲な戦争をしかけてきただろう。集団の人口が少数にとどまるのはそのためだ。紳士諸君は不可解という顔をしているな。なにか質問があるか？」

サマリー教授は反論する気力がないほど疲れていたが、それでも強く首を振って全般的に不同意であることをしめした。ジョン卿は薄くなった髪をぼりぼりと掻《か》いて、論戦をいどむ資格がないと述べた。僕はいつものように、きわめて日常的かつ現実的なところへ話をもどした。インディオが一人見あたらないと指摘したのである。

「水をくみにいかせたんだ」ジョン・ロクストン卿が言った。「牛肉の空《あ》き缶を持たせて外へ出した」

「もとの野営地《やえいち》へ？」

「いや、小川だ。森のなかを流れている。ここから二百ヤード（約百八十メートル）ほどだろう。それにしても時間がかかっているな」

「ようすを見てきますよ」僕はライフルを握り、とぼしい朝食の準備を仲間にまかせて小川のほうへ歩いていった。読者には軽率な行動に思えるだろう。いくら短距離とはいえ安全な藪《やぶ》から出てしまうのだから。しかし猿人の町からは何マイルも離れていたし、避難所はみつかっていないと思っていた。そもそもライフルがあれば恐れるものはないはずだったのだ。敵の狡知と力をよくわかっていなかった。

前方から水のせせらぎが聞こえてきた。しかし木と藪にさえぎられて小川は見えない。藪をかきわけ、仲間たちからの視線がちょうど届かなくなるあたりで、あるものをみつけた。木陰の藪のあいだに赤いものがうずくまっている。近づいてみてぎょっとした。いなくなったインディオの死体である。横むきになって手足を体に引きつけ、首は背後をふりかえるように不自然な角度にねじれている。僕は大声をあげて仲間に異変を知らせ、駆けよって死体をのぞきこんだ。そのとき、守護天使に守られたのか、恐怖の本能か、それともかすかな葉ずれの音が聞こえたのか、僕はふと上を見た。すると低く垂れた枝と茂った葉のあいだから、赤毛におおわれた二本の太い腕がゆっくり下りてくるところだった。一瞬でも遅れていたらその忍びやかな手に喉を絞められていただろう。僕はあわてて跳《と》び退《さ》がった。しかし僕の機敏さとおなじく手もすばやかった。急所こそのがれたものの、片手がうなじに、反対の手は顔にかけられた。僕が両手で喉を守ると、顔をつかんだ大きな手が下がって僕の手の上から喉をつかもうとした。そのまま軽々と持ち上げられていく。頭にかかる力がしだいに大きくなって、頸椎《けいつい》がちぎれそうだ。目がまわる。それでも敵の手に抵抗して喉を守りつづけた。

上を見ると、恐ろしい顔と薄青色《うすあお》の冷酷な目がこちらをにらんでいる。魅入《みい》られそうな強烈な視線だ。抵抗できない。僕がぐったりしてきたのを感じたのか、その残忍な口もとから二本の白い犬歯《けんし》がのぞいた。しだいに歯が剝《む》き出される。視界が薄く不透明な靄《もや》につつまれ、耳では銀の鈴が鳴るような音が聞こえはじめた。そのとき遠く鈍《にぶ》いライフルの銃声が聞こえ、体が地面に落ちる衝撃をぼんやりと感じた。あとは感覚と動く力を失って横たわった。

気がつくと、茨《いばら》の防柵《ぼうさく》の内側で草の上に横たえられていた。だれかがくんできた小川の水をジョン卿が首に振りかけてくれている。チャレンジャーとサマリーは心配そうな顔で僕の頭をささえている。いつもの学者の仮面のむこうに、このときだけは人間の心がのぞいていた。僕はどこにも怪我はなく、ショックで動けなくなっただけだった。三十分もすると、頭痛と首の痛みをのぞけば、起き上がって不自由なく動けるようになった。

「間一髪だったぞ、若者よ」ジョン卿が言った。「叫び声を聞いて駆けつけたときには、きみは首を半分ねじられ、足は宙を蹴っていた。遅かったかと思ったものだ。あわてたせいで猿人を撃ち漏らしたが、きみを落として逃げていった。まったく、五十人のライフル隊をしたがえていたら、あのいまいましいやつらをこの台地から一掃《いっそう》してやるところだ！」

猿人はどうやら僕らを追跡できるらしく、四方から見張られていると思わなくてはいけない。昼はまだしも、夜になれば襲ってくるだろう。早めにこの付近から脱出すべきだ。三方は深い森で敵の掌中《しょうちゅう》に飛びこむようなものだが、最後の一方は湖へ下る斜面で、低木《ていぼく》とまばらな高木のあいだに空《あ》き地が散在している。僕が最初に一人で往復した場所であり、その先にインディオの洞窟がある。進むべき道はこれだ。

食料を残したままの野営地を放棄するのは悔《く》いが残った。また外界との唯一の連絡路であるザンボとの接触も失ってしまう。しかし全員分のライフルと充分な弾薬があれば、いずれもどって忠実な黒人との連絡を復活させられるだろう。ザンボは動かずに待つと約束しているし、僕らはその誠実さを信じて疑わなかった。

昼下がりに出発した。インディオの若いリーダーは案内として先頭に立ち、荷物をかつぐことは断固拒否した。そのうしろに僕らのわずかな荷物をかついだ生き残りのインディオ二人が続く。白人四人は弾薬を装塡《そうてん》したライフルをかまえ、しんがりをつとめた。一行が出発するとすぐに、背後の深く静かな森から猿人の大きな叫声《きょうせい》があがりはじめた。僕らに対する勝利の雄叫《おたけ》びか、敗走者をあざける嘲笑《ちょうしょう》か。ふりかえっても深い森しか見えない。しかし長々と続く叫声からすると多数の敵がその森陰にひそんでいるはずである。ただし追ってくる気配はない。やがて開《ひら》けた土地に出て、猿人の勢力圏を脱した。

僕はしんがりを歩きながら、まえを行く三人の格好に苦笑を禁じえなかった。これがあのオルバニーの豪奢《ごうしゃ》な部屋でペルシャ絨毯《じゅうたん》と絵画《かいが》コレクションにかこまれ、ステンドグラスランプの淡いピンクの光に照らされていた独身貴族ジョン・ロクストン卿の姿だろうか。これがエンモアパークの広い書斎の大机のむこうにふんぞり返っていた傲岸不遜《ごうがんふそん》な教授だろうか。

そして動物学協会の講演会で毅然《きぜん》と立ち上がった謹厳実直な人物だろうか。サリー州の田舎《いなか》道《みち》を歩く三人の浮浪者でもこれほど悲惨で不憫《ふびん》な姿ではないだろう。台地に上がってまだ一週間かそこらだが、着替えはすべて下の野営地だし、この一週間は過酷きわまりなかった。僕にいたっては猿人に殺されかけた。三人の仲間はとうに帽子をなくし、ハンカチで頭をおおっている。服はちぎれてリボンのように垂れ下がっている。髭《ひげ》が伸び放題のやつれ顔で、かつての面影はない。サマリーとチャレンジャーは足腰がつらそうだし、僕は朝のショック状態の影響で足がおぼつかないし、強烈に絞められた首は鉄のようにこわばっている。まったくもって惨《みじ》めな一行である。道連れのインディオたちがときおりふりかえって恐怖と驚きで顔をゆがめるのも無理はない。

午後遅くに湖畔《こはん》に到着した。藪を抜けて広い湖面が開けると、インディオたちはいっせいに歓喜の声をあげて前方を指さした。見れば鏡のような湖面にたくさんのカヌーが浮かび、こちらへ漕《こ》ぎ渡ってくる。はじめは何マイルも離れていたが、急速に近づき、やがて漕ぎ手がこちらの人影を見分けられるくらいになった。するとむこうでも爆発的な歓声があがり、立ち上がって櫂《かい》や槍《やり》をはげしく空へ突き上げた。それからふたたび漕ぎはじめ、みるみるうちに距離を縮めて、ついに傾斜した砂の岸に舳先《へさき》を乗り上げた。飛び下りて走ってきて、歓声とともに若いリーダーのまえに平伏する。最後に老人が進み出た。ガラス玉のネックレスとブレスレットをきらめかせ、美しい褐色の斑《まだら》模様の毛皮を肩にかけて駆け寄り、僕らが救助した若者をやさしく抱き締めた。老人はさらにこちらを見てなにごとか質問し、うやうやしく歩み寄って僕らを一人ずつ抱擁した。部族に一声かけると、男たちはいっせいに跪拝《きはい》して敬意をしめした。僕はこの大げさな崇拝の態度に気恥ずかしさを覚えたし、ジョン卿とサマリーも同様のようすだった。しかしチャレンジャーだけは日差しを浴びた花のように得意満面である。

「未開の種族ながら上位者にしめすこの態度は、ヨーロッパの一部先進国も見習うべきだな」教授は髭をしごきながらインディオたちを見まわした。「野生の人々の本能のほうが正しいとは不思議だ」

インディオたちが戦支度《いくさじたく》でやってきているのは明白だった。全員が骨角器《こつかくき》をつけた長い竹槍や弓矢を持ち、棍棒《こんぼう》の一種や戦斧《せんぷ》を腰から下げている。敵意をあらわに森を見て、「ドダ」と頻繁に言うようすから、首長の息子と思われるこの若者の救出または復讐を目的とした突撃隊らしい。輪をつくって会議をはじめた。僕らは近くの玄武岩《げんぶがん》の露頭《ろとう》に腰を下ろしてそのようすを見守った。二、三人の戦士が話したあと、若いリーダーが熱弁をふるいはじめた。雄弁な身ぶり手ぶりをまじえているおかげで言葉がわからなくてもおおよその意味をつかめる。

「ここで引き返してどうする？　遅かれ早かれ決着をつけねばならぬ。仲間が殺されたのだぞ。わたしが無事にもどったからなんだ。他の者は死んだ。だれも安全ではない。われわれは集まり、支度をととのえている」若者は僕らをしめした。「この奇妙な人々は味方だ。いさましい戦士であり、おなじく猿人を憎んでいる。そして――」今度は天を指さす。「――雷《かみなり》と稲妻を意のままにあやつる。これほどの好機があろうか。このまま前進だ。死を賭《と》して将来の安全を勝ちとるのだ。このままおめおめと女たちのもとへ帰れぬぞ！」

赤い肌の小柄な戦士たちは演説に聞きいり、話し終わると同時に原始的な武器を振り上げて歓声をあげた。老いた首長が僕らのまえに歩み寄って、森を指さしながらなにごとか問いかけた。ジョン卿は返事を待ってほしいと身ぶりで伝えて、僕らにむきなおった。

「ここからはそれぞれの判断です。わたしはあの猿人たちに仕返しをしたい。あいつらを地上から抹殺《まっさつ》してもかまわない。この赤い肌の仲間に同行し、戦いに参加します。若者よ、きみはどうする？」

「もちろん行きます」

「チャレンジャー、どうしますか？」

「協力しよう」

「どうしますか、サマリー？」

「調査隊の本来の目的から大きくはずれた行動だ、ジョン卿。蛮族の突撃隊を率いて霊長類のコロニーに攻めこむことになるなど、ロンドンの教授職を休職したときは予想もしなかった」

「そんな野蛮な行為に利用されるわけです」ジョン卿は苦笑した。「しかしやるかどうかはわたしたちしだいです。どうしますか？」

「疑問の多い行動だ」サマリーは最後まで論争的だ。「しかし全員が行くというなら、わしだけ残るわけにいくまい」

「では決まりだ」ジョン卿は首長にむきなおり、うなずいてライフルを叩いた。老いた首長は僕らの手を一人ずつ握り、部下たちはますます大きな歓声をあげた。とはいえ進軍にはもう遅いので、今夜はここで簡易に野営することになった。周囲では焚《た》き火が炎と煙を上げはじめた。一部のインディオが密林に分けいり、まもなく若いイグアノドンを追い立ててもどってきた。これも肩に瀝青《れきせい》を塗りつけた跡《あと》がある。そこへいかにも所有者然《ぜん》としたインディオが歩み寄り、その承認のもとで殺し、解体作業がはじまった。この大型恐竜は家畜のような私有財産であり、謎めいた瀝青は所有者の印だとようやく理解できた。大きな体に小さな脳しか持たず、鈍重《どんじゅう》で無防備なこの草食恐竜は、子どもでも容易に集めて追えるのである。巨体の肉はたちまち切り分けられ、十数カ所の焚き火であぶられはじめた。湖で突いて捕獲された大きな硬鱗魚《こうりんぎょ》類の一種も焼き魚にされた。

サマリーは砂上で横になって眠った。しかし僕らは湖畔を歩きまわって、この奇妙な土地の知見を増やすことにつとめた。青粘土《あおねんど》が蓄積した穴を二カ所でみつけた。プテロダクティルスの沼にあったものとおなじである。古い火山性の噴出口であり、ジョン卿はなぜかこれ

に大きな関心を寄せた。一方のチャレンジャーは泥《どろ》の間欠泉《かんけつせん》に興味を惹《ひ》かれていた。奇妙なガスが噴出しているらしく、泥の表面が大きくふくらんではじけている。そこに葦《あし》の中空の茎《くき》をさしこみ、反対端にマッチの火を近づけると、ポンと音をたてて青い火がついた。それを見てチャレンジャーは小学生のように歓声をあげた。さらに葦の先端に革袋を逆さにかぶせてガスを集めると、革袋は浮いて空へ飛んでいった。

「可燃性ガスで、大気より顕著に軽い。水素をかなりの割合でふくんでいるようだな。G・E・Cの機転は衰えておらんぞ、若い友人よ。偉大な精神がいかに自然を利用、工夫するか、いずれ見せてやろう」秘密の考えがあるらしく、ほくそ笑んで口をつぐんだ。

僕は湖岸より広い湖面に見えるものに興味を惹かれた。野営地周辺は騒がしいせいで動物は遠くへ逃げてしまい、死肉を求めて頭上を旋回するプテロダクティルスをのぞいて動きがない。しかし茜《あかね》色に染まった中央湖の湖面はちがった。奇妙な生物でにぎわっている。灰青《かいせい》色《しょく》の巨大な背中と高い鋸歯《きょし》状の背びれが銀の水煙をまとって湖面を割り、ふたたび深みへ滑りこんでいく。遠くの砂洲《さす》の上には、ぎこちなく這《は》う動物と、大型の亀と、奇妙なトカゲが見える。黒く脂《あぶら》ぎった表皮を波打たせて移動する平たい大きな生物がゆっくり湖にはいっていく。あちこちの湖面を割って蛇《へび》のような頭が突き出し、白い波を小さく蹴立てて長い航跡を引きながら泳ぐ。その頭は白鳥のように優雅に上下に揺れている。その一頭がほんの数百ヤード先の砂洲に上陸し、長い首のうしろの樽《たる》形の胴と大きなひれをあらわにした。それを

見たチャレンジャーと、起きてきたサマリーはそろって驚嘆と興奮の声をあげた。「プレシオサウルスだ！　しかも淡水性《たんすい》の！」サマリーが叫んだ。「生きてこんな光景を見られるとは！　われわれは幸運だぞ、親愛なるチャレンジャー。有史以来のどんな動物学者よりも！」

すっかり日が暮れ、蛮族の仲間が燃やす焚き火の赤い輝きしか見えなくなって、ようやく二人の科学者を古代の湖から引き離すことができた。しかし湖岸で横になって眠るあいだも、闇のむこうから大型恐竜のたてる鼻息や水音が聞こえてきた。

空が白《しら》みはじめるとすぐに野営地は動きだし、一時間後にはこの忘れがたい遠征に出発した。僕はいつか戦場特派員になるのが夢だったが、こんな奇妙な戦闘を取材することになろうとは想像だにしなかった。そんな戦場報告の第一報を書き送ろう。

こちらの軍勢は夜のうちに洞窟から送られた援軍によって増強され、進軍を開始したときには総勢四、五百名におよんだ。前面に斥候《せっこう》を出し、そのうしろで全軍が縦隊を組んで進んだ。低木におおわれたゆるやかな斜面を上がり、やがて森の手前に来た。ここで陣形を横に広げ、槍兵と弓兵が点々と並んだ。ロクストンとサマリーは右翼につき、チャレンジャーと僕は左翼を守る。戦場の主力は石器時代の武器だが、僕らはセントジェームズ街とストランド街の鉄砲鍛冶《かじ》による最新兵器をそなえている。

敵はまもなくあらわれた。かん高い吶喊《とっかん》の声が森から響いたと思うと、石と棍棒を持った猿人たちが飛び出し、インディオの隊列の中央へ突っこんできた。勇猛果敢《かかん》、しかし浅慮《せんりょ》愚行《こう》である。がに股《また》の猿人は地上では動きが鈍く、対するインディオは猫のごとく俊敏《しゅんびん》なのだ。凶暴な猿人が口角《こうかく》泡を吹き、目を剝《む》いて突進してくるさまはいかにも恐ろしいが、インディオは身軽に攻撃をかわし、次々に矢を射かける。ある猿人は胸に十数本の矢が刺さって痛みに吠えながら僕のそばを駆け抜けた。慈悲の心でその頭に一発銃弾をいれてやると、アロエの葉のあいだにばったり倒れて息絶えた。僕が撃ったのはこの一発だけである。敵のほとんどは隊列中央に突進しており、インディオは銃の助けなしに楽々と撃退していた。開けた土地に出てきた猿人は一匹残らず倒れ、森へ逃げ帰った者はいないようだった。

　しかし森にはいると戦いは拮抗《きっこう》した。樹間《じゅかん》に踏みこんで一時間以上たつと、敵の猛攻を抑えきれなくなってきた。太い棍棒を手に藪から飛び出してくる猿人は、槍で突き殺されるまでにインディオをしばしば三、四人も殴り倒した。その一撃はあらゆるものを砕くほど強力である。サマリーはライフルをマッチ棒のようにへし折られ、次の一撃であやうく脳天を割られるところだった。インディオの槍がその野獣の胸をつらぬいたおかげであやうく一命をとりとめた。頭上の枝からは石や丸太を投げ下ろされる。ときには猿人が単身で陣の内側に飛び下りてきて、死にものぐるいの戦闘の果てに突き殺されたりした。一度は敵の圧力に耐えきれずに隊列が乱れ、ライフルが威力を発揮したからよかったものの、そうでなければ敗走必至《ひっし》という場面もあった。しかしインディオたちは老いた首長の指揮で勇敢に切りこみ、戦いつづけた。おかげで猿人は劣勢になっていった。サマリーは武器をなくしたが、僕は弾倉《そう》を次々に空《から》にしながら撃ちつづけた。隊列の反対側からも仲間の銃声が連続して聞こえた。

やがてパニックと潰走《かいそう》の瞬間がやってきた。猿人たちは悲鳴と吠え声をあげ、算《さん》を乱して藪のむこうへ逃げはじめた。インディオは荒々しい歓喜の叫びとともに追撃する。何世代にもわたる宿怨、細く長い歴史に積み重ねられた憎悪と憤怒《ふんぬ》、あらゆる虐待と迫害の記憶が、ついにいま晴らされた。人間が覇者《はしゃ》となり、人間未満の野獣はふさわしい住まいへ追い返された。敵は逃げ足が遅く、インディオは機敏なため、鬱蒼《うっそう》とした森のあちこちから歓喜の叫びと、弓弦《ゆづる》の鳴る音と、猿人が木の上の隠れ場所から引きずり下ろされる落下音が聞こえてきた。

僕は仲間を探し、ジョン卿とサマリーをみつけて合流した。

「終わりだ」ジョン卿は言った。「後始末は彼らにまかせよう。あまり正視すると眠れなくなるぞ」

チャレンジャーは虐殺の余韻で目を輝かせていた。

「なんという幸運か」叫んで闘鶏《とうけい》のようにふんぞり返って歩いている。「歴史の転換点に立ち会ったのだ。天下分け目の大決戦だった。国が国を征服するのなどなんの意味もない。結果は変わらない。しかしこの戦いは、かつて黎明《れいめい》期の穴居人《けっきょじん》が虎や象と覇権《はけん》をかけて争ったのに相当する。これこそが本物の征服だ。重要な勝利だ。しかも吾輩たちがそれを見て、手助けしたことが奇妙にも命運を分けたのだ。この台地の未来は人間のものになった」

そんな確固不動の信念は、凄惨《せいさん》な場面の数々を見るために必要だった。森を進んでいくと槍や矢が刺さった猿人の死体が折り重なっていた。殴り殺されたインディオの集団もところどころにころがり、逆襲にあって命の代償を支払ったものと思われた。前方にはつねに悲鳴と叫声が響き、追撃の方角をしめしていた。猿人はその町に逃げこんで最後の抵抗を試みたが、それも打ち破られた。僕らが到着したのはその凄惨な終幕が演じられているところだった。最後まで残った八十匹から百匹の猿人が、あの小さな空き地の崖っぷちに追いつめられていた。二日前とは立場が逆転している。インディオの槍兵が半円形に押しつつんで迫る。決着はあっというまだった。三、四十匹はその場で刺し殺され、残りは断崖から追い落とされた。悲鳴をあげ、爪で宙を掻きながら、先日の囚人とおなじく六百フィート（約百八十メートル）下のとがった竹林《たけばやし》へ落ちていった。チャレンジャーの言うとおり、メープルホワイトランドにおける人類の覇権が確立した瞬間である。雄の猿人は根絶やしにされ、町は破壊され、雌《めす》と幼児は奴隷として連行された。何世紀にもおよぶ対立はこうして血の決着を見たのである。

勝利は僕らにとってもおおいに利益があった。まず野営地にもどって食料を回収できた。さらにザンボとの連絡を回復できた。忠実な黒人は、猿人が遠くの崖からいっせいに落ちるのを目撃し、恐れおののいていた。

「下りてきなよ、みんな。いそいで！」目が飛び出すほど見開いて叫ぶ。「上にいると、悪魔にとりつかれるよ！」

「良識ある声だ！」サマリーが確信をこめて言った。「冒険はもう充分。われわれの本分でも役割でもない。約束を守ってもらうぞ、チャレンジャー。今後はこの恐ろしい土地から脱出して文明へもどるために頭を使ってくれ」

15　かずかずの驚異を目撃した

この手記は毎日その日の分をしたためているが、最後はきっと、雲間《くもま》から光が差してきたと書けると信じている。いまはまだ明確な脱出手段がなく、それを探して悪戦苦闘している。しかし不本意な足留《あしど》めが続いたおかげで、この奇妙な土地のさまざまな驚異とそこに住む動物をより多く目撃できたと、いつかよろこべる日がくるはずだ。

インディオの勝利と猿人《えんじん》の抹殺《まっさつ》をきっかけに、僕らの運命も変わった。まるで僕ら四人がこの台地の真《しん》の覇者《はしゃ》になったようだった。地元民たちは宿敵の打倒に寄与した摩訶《まか》不思議な力を持つ僕らを、恐怖と感謝のいりまじった目で見た。こんな強力で得体《えたい》のしれない集団はさっさといなくなったほうが彼ら自身も安心できるだろう。しかし眼下の土地へ下りる方法は彼らも提案できなかった。その身ぶり手ぶりを読み解くかぎり、かつては上り下りできるトンネルがあったらしい。僕らが発見した下側の登り口がそれだ。猿人とインディオはそれぞれ異なる時代にあそこを通って上がってきたにちがいない。メープル・ホワイトとその同行者もおなじ経路をたどったはずだ。ところが一年前の大きな地震でトンネルの上側が崩落《ほうらく》し、完全に消滅してしまった。だからいま僕らが身ぶり手ぶりで下りたいと伝えても、インディオたちは首を振って肩をすくめるばかりだ。脱出を手助けしたくてもできないのか、その気がないのか。

大戦の決着後、生き残った猿人は台地の反対側へ連行され（その泣き叫ぶ声は悲惨きわまりなかった）、インディオの洞窟《どうくつ》のそばに住まわされた。今後はここで支配者に監視され、奴隷種族として生きていくことになる。いわばバビロン捕囚《ほしゅう》やエジプト奴隷時代のユダヤ人の原始的で野蛮な形である。夜になると森の奥から悲痛な泣き声が聞こえてくる。野卑《やひ》なエゼキエルが凋落《ちょうらく》を嘆《なげ》き、猿人の町の栄光を懐《なつ》かしんでいるのだろう。彼らはこれから木こりと水汲《みずく》みとして生きていくのだ。

戦闘から二日後に僕らは友軍とともに台地の反対側へ渡り、彼らが住む崖の麓《ふもと》に新たな野営地《えいち》を築いた。インディオからは洞窟でいっしょに住めばいいと誘われたが、ジョン卿がかたくこばんだ。万一彼らが危険な意図を持っていた場合、その勢力下にいるのは好ましくない。ゆえに独立を維持した。インディオとはできるかぎり友好的な関係を続けながら、非常時にそなえて武器を手放さなかった。彼らの洞窟は頻繁に訪れた。とても興味深いが、人の手で掘られたのか自然の造形かは区別がつかなかった。洞窟はいずれもおなじ地層にあった。赤い断崖を形成する火山性の玄武岩《げんぶがん》が上に、硬い花崗岩《かこうがん》が下にあり、そのあいだの比較的柔らかい岩の層に洞窟はうがたれている。

入り口は地面から約八十フィート（約二十四メートル）上にあり、長い石の階段が刻まれている。狭くて急なので大型の動物には登れない。内部は暖かく乾いている。洞窟はまっすぐ奥へ伸び、長さはさまざまだ。壁は滑《なめ》らかな灰色で、たくさんの見事な絵で装飾されている。台地のさまざまな動物が木炭《もくたん》で描かれている。ここからあらゆる生物が消えたのちに未来の探検家がこの洞窟にはいったら、恐竜やイグアノドンや魚竜といった奇妙な動物がつい最近まで地上に生き残っていた証拠の壁画をみつけるだろう。

大型のイグアノドンが家畜として所有者に飼われ、従順な肉の供給源になっていたので、人類は原始的な武器だけでこの台地の覇権を確立できたのではと思ってしまうが、じつはそれは誤りだ。人類はかろうじて生きているのにすぎないと知らされるはめになった。悲劇が起きたのはインディオの洞窟群のそばに野営地を築いて三日目だった。その日、チャレンジャーとサマリーは湖に出かけ、地元民を指揮して銛《もり》による大型魚竜の捕獲を試みていた。ジョン卿と僕は野営地に残っていた。崖下の草の斜面にはあちこちにインディオがいて、さまざまな家事をこなしていた。突然、警告の叫び声があがり、口々に「ストア」という言葉が叫ばれた。するとあらゆるところから老若男女が崖下の階段に殺到し、われがちに洞窟へ逃げこみはじめた。

見上げると何人かがこちららに手を振り、いっしょに避難しようと招いている。僕らは弾《だん》倉《そう》とライフルをつかみ、迫る危険を確認しようと走り出た。近くの樹林帯からふいに十二、三人のインディオの集団が命からがらというようすで駆け出してきた。その背後から、恐ろしい二頭の恐竜が追ってきた。かつて僕らの野営地をおびやかし、単独行動中の僕を執拗に追跡したやつである。姿は不気味なカエルに近く、両脚で跳《と》びはねて移動する。あきれるほど大きく、大型の象をも上まわる。これまで姿を見たのは夜だけで、実際に夜行性なのだが、ねぐらを荒らされたときはべつだ。今回がそうらしい。僕らは茫然《ぼうぜん》と立ちつくしてその姿を眺めた。まだら模様で疣《いぼ》だらけの皮膚は魚鱗《ぎょりん》のような虹色の光沢《こうたく》があり、日差しを浴びて動くと不定形の七色の輝きを放つ。

しかしゆっくり観察している暇はなかった。逃げるインディオたちに追いついた恐竜は、たちまち凄惨《せいさん》な殺戮《さつりく》をはじめた。その方法は一人ずつ順に踏みつぶすのである。一人を下敷きにしたら、すぐに次へ跳ぶ。狙われたインディオたちは恐怖の悲鳴をあげるばかりで、なすすべがない。巨大な恐竜の容赦ない追跡と行動から逃げまどうばかり。そうやって次々に殺され、残り五、六人になったときに、ようやくジョン卿と僕は助けに駆けつけた。ところがこちらの攻撃はほとんど効《き》かず、逆におなじ窮地《きゅうち》におちいってしまった。二百ヤード（約百八十メートル）ほどの距離から弾倉を次々に空《から》にして銃弾を巨体に撃ちこんだが、紙つぶてを投げているように効果がない。爬虫類《はちゅうるい》の鈍感さゆえに負傷してもろくに感じないし、生命力も尽きない。脳のような中枢神経が発達しておらず、脊椎《せきつい》にそって分散した神経で動いているので、現代的な兵器は有効でないのだ。せいぜい発砲の音と光で注意をそらし、地元民と僕らが階段の上の安全圏にたどり着く時間を稼ぐくらいである。しかし二十世紀の円錐《えんすい》形炸裂弾《さくれつだん》が効かなくても、ストロファンツスの種子の汁《しる》に浸《ひた》して腐肉《ふにく》のなかでしみこませた地元民の毒矢は効いた。このような毒矢は猛獣狩りをするハンターにとってはあまり有用でない。毒のまわりが遅く、効くまえにハンターが逆襲を受ける。しかし僕らを追って階段のたもとにたどり着いた二頭の恐竜は、頭上の洞窟から放たれた矢を次々に浴びた。たちまち無数の矢が突き立った姿になったが、苦痛を感じるようすはなく、獲物を追おうと階段で悪戦苦闘しはじめた。ぎこちなく数ヤード登っては地面に滑り落ちる。そんなことをくり返しているうちに毒がまわった。一頭は低いうめき声を漏らして大きく平たい頭を地面に倒した。もう一頭はかん高い悲鳴をあげてぐるぐると円を描くように跳びはね、やがて苦しげに横倒しになって、まもなく硬直して動きを止めた。インディオたちは勝利の雄叫《おたけ》びをあげた。洞窟から下りて死体のまわりで熱狂的に踊りはじめた。最高に危険な敵を二頭も倒したという歓喜である。その夜のうちに恐竜の死体は切り刻んで運び去られた。食べるためではない。毒が効いているので食用には適さない。腐って悪疫《あくえき》の発生源になることを避けるためである。

しかし座布団のように大きな恐竜の心臓は生きていて、放置されたまま独立した不気味な生命体のようにゆっくりと搏動《はくどう》をつづけた。三日目にようやく養分が尽きたらしく、奇怪な肉《にく》塊《かい》は動かなくなった。

いつか——肉の缶詰《かんづめ》よりましな机と、ちびた鉛筆よりましな筆記具と、ちぎれたノートの切れ端よりましな紙があるときに——アッカラ族インディオについて詳しく書きたいと思う。彼らとの共同生活や、不思議なメープルホワイトランドで垣間《かいま》見た奇妙な生活環境について記録しよう。すくなくとも記憶が薄れることはない。僕が生きているかぎり、ここでのあらゆる時間と出来事は克明《こくめい》に脳裏に刻まれており、子ども時代の初期のとっぴな体験とおなじく鮮明に残るはずである。新しい印象で消えることはないだろう。広い湖での驚くべき月夜の出来事についてもいつか書きたい。その晩、インディオの網にかかった若いイクチオサウルス——アザラシと魚をあわせたような体で、鼻面《はなづら》の両側の骨にかこまれた二つの目にくわえて、頭頂に第三の目を持つ奇妙な魚竜——を岸に引き上げようとして、カヌーをあやうく転覆させせられそうになった。おなじ晩に葦《あし》の茂みから飛び出してきた緑の水蛇《みずへび》にチャレンジャーのカヌーの舵手《だしゅ》が巻きつかれ、水中に引きずりこまれた。湖の東端《とうたん》の不快な沼沢地《しょうたくち》に住む夜行性の白く大きな生き物についても書きたい。獣《けもの》か爬虫類かは不明だが、闇のなかで動くとかすかに燐光《りんこう》を発する。インディオは恐れて生息地に近づかないし、僕らは二度探検に出かけていずれも目撃したが、深い沼に踏みこむことはかなわなかった。わかるのは牛より

大きく、麝香《じゃこう》のような奇妙なにおいがすることである。またチャレンジャーが洞窟の入り口まで追いかけられた巨大な鳥についても書きたい。大型の走鳥《そうちょう》でダチョウより大きく、ハゲワシのような首と、歩く死神とでもいうべき凶暴な頭部を持つ。その湾曲した獰猛《どうもう》な嘴《くちばし》の一撃をチャレンジャーはブーツの踵に受け、まるで鑿《のみ》で突かれたようにざっくりと切られながら、かろうじて安全地帯に逃げこんだ。このときは現代の武器が有効だった。荒い息をつきながらもうれしそうな教授からフォルスラコスという学名を教えられた体高十二フィート（約三・六メートル）のこの鳥は、ジョン・ロクストン卿のライフルで倒された。羽根を打ち振り、脚を蹴り、冷酷な二つの黄色い目でにらみながら息絶えた。平たく凶暴なその頭部が、オルバニーの狩猟記念品の壁に飾られるところを生き延びてこの目で眺めたいものである。最後にトクソドンについてもかならず書きたい。全長十フィート（約三メートル）のこの巨大な齧歯《げっし》類は、鑿のように鋭く突き出た歯を持っている。早暁《そうぎょう》の薄明《はくめい》の湖畔で水を飲んでいるところを仕留《しと》めた。

いつかこれらを千言万語《せんげんばんご》を費やして記録するつもりだが、そんな右往左往の日々のあいまに眺めた美しい夏の夕べの情景も書きとめておきたい。森のそばの長い草のあいだに良き仲間たちと寝ころがって見上げた抜けるような青空。頭上をかすめ飛んで僕らを驚かせた不思議な鳥。巣穴から顔を出してこちらを見ていた奇妙な新種の動物。頭上の枝をしならせた甘《かん》美《び》な果実と、足下の草のあいだに咲いていた奇妙でかわいらしい花。そして月明かりできら

めく広い湖上に漕《こ》ぎ出した夜に、ふいに幻想的な恐竜が湖面で跳びはね、大きな波紋《はもん》をいくえにも起こして僕らを驚き恐れさせたことや、深い水底のほの暗い闇にひそむ奇妙な生物の緑の輝きも書きたい。いつかかならず記憶とペンを総動員してこれらの場面を詳細に書き残すつもりである。

一方で、どうしてそんな経験をする暇があったのかと疑問を持たれるかもしれない。全員で昼夜の別なく知恵を絞って下界へもどる手段を考えるべきときではなかったのかと。それに答えると、目標にむけて努力をおこたっている者は一人もいなかった。ただその努力が空《から》まわりしていたのである。なにしろ早い段階でインディオの非協力が判明していた。ほかのことではとても友好的で、自発的な奴隷とさえいえるほどなのに、岩の尖塔《せんとう》とのあいだの間隙《かんげき》に橋を渡す板をつくって運ぶのを手伝ってほしいとか、丈夫な縄《なわ》をなうための革紐《かわひも》や蔓《つる》を調達してほしいと依頼すると、愛想よい態度ながら断固たる拒絶にあう。彼らは笑顔でまばたきして首を振る。それで終わり。老いた首長もやはりかたくなに拒否する。僕らが救出した若者のマレタスだけは悲しげな顔をし、とても残念だが期待にはそえないと身ぶり手ぶりで伝えてくる。対猿人《えんじん》戦の大勝利以来、僕らは奇妙な中空の武器で勝利をもたらした超人として崇拝されている。僕らがここにとどまるかぎり幸運が続くと信じているのだ。下界の同胞をきれいさっぱり忘れてこの台地でいつまでも暮らすなら、赤い肌の小柄な妻も、独立した洞窟の住まいも提供するという。どんな突拍子《とっぴょうし》のない希望にもいまのところは親切に応じてくれる。しかし下界へもどるための具体的な計画は秘密にしようと僕らは思いさだめた。最後は力ずくで制止されることが懸念《けねん》されるからだ。

僕はこの三週間に二回、恐竜に襲われる危険を冒して（といっても前述のように夜行性なので、夜でなければそれほど危険でもない）旧野営地へ足を運んだ。崖下の拠点を守りつづけている忠実な黒人と連絡をとるためだが、そのまえに広い平原のどこかに待ち望む救助隊の影がないかと目を凝《こ》らした。しかし細長いサボテンが散在する平原は遠くの竹林帯《ちくりんたい》まで人の気配は皆無《かいむ》だった。

「もうすぐくるよ、マローンさん。一週間もすればインディオがロープをもってきて、下りられるようになるよ」優秀なザンボはそんなはげましを言ってくれる。

二度目の訪問の帰路ではおかしなものに出会った。仲間から離れて一晩をすごして、通いなれた道をもどる途中、プテロダクティルスの沼から一マイル（約一・六キロメートル）前後のところで、奇怪なものがこちらへやってくるのを見た。籐《とう》製の大きな枠《わく》のなかにはいった人間が歩いている。釣り鐘《がね》形の籠《かご》のようなものを頭からすっぽりかぶっている。近づいてさらに驚いた。なかにはいっているのはジョン・ロクストン卿である。僕を見ると、この奇妙な防具から出てこちらへやってきた。笑顔だが、自分の格好にやや照れているようでもある。

「やあ、若者よ。こんなところできみに会うとはな」

「いったいなにをしているんですか？」

「プテロダクティルスに会いにいくんだよ」

「どうして？」

「興味深い生物じゃないか！　しかしいかんせん無愛想だ。見知らぬ相手には粗暴《そぼう》きわまりない。きみも憶《おぼ》えているだろう。だからこんなものをこしらえた。興味の対象をあまりつつかないようにな」

「でも、そこまでしてなぜ沼へ？」

ジョン卿は強い疑念の目をむけた。表情にはためらいがあらわれている。

「教授たちでなくても知識欲はあっていいだろう」しばしの沈黙のあとに答えた。「わたしはあれを研究している。答えはそれで充分なはずだ」

「べつにいけないというつもりはありませんよ」

ジョン卿は笑顔にもどって笑った。

「こちらもたいしたことじゃない。あの悪魔の幼鳥《ようちょう》を一匹つかまえてチャレンジャーに進呈する。それがわたしの仕事だ。きみの助けはいらないぞ。わたしはこの籠にはいっているかぎり安全だが、きみはそうはいかない。では、日没までに野営地にもどるよ」

ジョン卿は背をむけた。奇妙な籠をかぶって森を歩く彼と別れて、僕は帰路をたどった。このときのジョン卿の行動を奇妙というなら、チャレンジャーのほうがもっと奇妙だった。教授はインディオの女性たちの目にたいへん魅力的に映るらしい。そのため教授はひときわ大きなヤシの葉を持ち歩き、魅了された女たちが過剰に接近してくると、うるさい蠅《はえ》のようにその葉で追い払った。喜歌劇に出てくる中東の君主《スルタン》よろしくその権威の象徴を持ち、豊かな黒髭《ひげ》を逆立て、一歩ごとに爪先をぴんと伸ばし、背後には樹皮の服を細身にまとって恍惚《こうこつ》とした表情のインディオの女たちをずらりと引き連れて歩くさまは、僕が持ち帰る記憶のなかでもっともグロテスクな戯画《ぎが》といえる。サマリーはといえば、台地の昆虫と鳥類の生態研究に没頭しており、そのほとんどの時間を（この窮地《きゅうち》から脱出する努力をいっこうに見せないチャレンジャーを批判する時間はべつとして）標本の清掃と展翅《てんし》についやしていた。

　チャレンジャーは毎朝どこかへ一人で出かけて、もったいぶった尊大な態度で帰ってきた。まるで重大な事業の責任を双肩《そうけん》に負っているかのようである。そしてある日、例によってヤシの葉を手に熱烈な崇拝者の列を引き連れたまま、僕らを秘密の工房へ案内して虎の子の計画を披露《ひろう》した。

　そこはヤシの木立の小さな空き地で、まえにも述べたのとおなじ泥《どろ》の間欠泉《かんけつせん》があった。ほとりにはイグアノドンの皮からつくった革紐や、湖の巨大な魚竜の胃袋を乾燥させて薄くけずったらしい大きな皮膜があった。この大きな袋は一方を縫《ぬ》い閉じられ、もう一方も縮めて小さな口にしてある。ここに数本の竹がさしこまれ、その反対側は泥を固めた円錐《えんすい》形の漏斗《ろうと》につながっている。漏斗は泥の間欠泉から噴出するガスを集めている。つぶれた胃袋はまもなくゆっくり膨張しはじめた。さらに浮き上がる傾向を見せはじめたので、チャレンジャーは紐で縛《しば》って周囲の木の幹につないだ。三十分もするとかなり大きな気嚢《きのう》がふくらんだ。係留《けいりゅう》している紐の張りからすると相当な浮力がありそうだ。チャレンジャーはまるで第一子の誕生に立ち会う父親のように満面の笑み。黙って髭をなでて悦《えつ》にいり、みずからの頭脳の産物を眺めている。まずサマリーが沈黙を破った。

「まさかこれで空を飛ぼうというのか、チャレンジャー?」辛辣《しんらつ》な口調にもどって言う。「親愛なるサマリーよ、浮力の強さをこうして見たあとでは、よもや搭乗をためらうまい」

「頭のなかの発想を形にするのはきみの勝手だ」サマリーは毅然《きぜん》として言った。「しかしそんな愚かな企《くわだ》てにわしが身をゆだねると思ったら大まちがいだぞ。ジョン卿、きみもこんな狂気の産物は認めないだろう?」

「天才的な作品というべきでしょう。うまく働くかどうか試してみたい」ジョン卿は答えた。「ぜひ試してくれ」チャレンジャーは答えた。「この崖を下りる方法について吾輩《わがはい》は数日間、知恵を絞った。岩登りの要領で下るのは無理だし、トンネルもないらしい。もときた岩の尖塔へ橋をかけることもできない。ではどうやって移動するか。しばらくまえに、間欠泉から噴出するガスに水素がふくまれているという話をこの若き友人にしたのだが、そこから気球のアイデアはすぐに出てきた。ガスの容《い》れ物を調達する方法がしばらく難題だった。これは恐竜の巨大な内臓を思い浮かべていたら解決策が浮かんだ。その結果がこれだ!」襤褸《ぼろ》と化した上着の胸に片手をあてて、反対の手で誇らしげにしめした。

気嚢はすでに丸くふくらみ、つなぎとめる縄を強く引いている。

「狂気の沙汰《さた》だ!」サマリーは鼻を鳴らした。

ジョン卿はこの案全体を歓迎している。「この老人は頭がいいぞ」と僕にむけてささやき、チャレンジャーにむけては大きな声で尋ねた。「乗る籠はどうするんですか?」

「籠はあとで考える。どのようにつくって取り付けるかは考案ずみだ。そのまえに、この気球が一人分の体重をしっかりささえられるところを見せよう」

「四人全員ではないのですか?」

「ちがう。一人ずつパラシュートのように下ろすのが吾輩の計画だ。気球を引きもどす仕組みはすぐに用意できる。気球が一人分の体重をささえてゆっくりと下りることができれば必要にして充分だ。その能力をいま見せてやろう」

教授は大きめの玄武岩の塊《かたまり》を持ってきた。中央にはロープを簡単に結べるように細工がしてある。ロープは岩の尖塔を登るのに使って台地に持ちこんだものだ。百フィート(約三十メートル)以上の長さがあり、細いが強靭《きょうじん》である。教授は革製の大きな輪を用意していた。たくさんの紐が垂れており、気球の上にこの輪をはめて、垂れた紐を下で縛る。これで荷重《かじゅう》を広い面積に分散できる。玄武岩の塊を垂れた紐に固定し、残りのロープは下に伸ばして教授の腕に三回巻きつけた。

「では、吾輩の気球の浮力を実験してみせよう」チャレンジャーは期待で顔を輝かせて、気球を係留している紐をナイフで次々と切った。

調査隊に全員死亡の危機が訪れたのはこのときである。ふくらんだ気球は恐ろしい勢いで浮上し、たちまちチャレンジャーを引き上げて足を地面から浮かせた。あやういところで僕はその浮き上がる腰に両腕を巻きつけた。ところが僕自身も浮いてしまう。その脚をジョン卿が強い力でつかんだ。しかし彼さえ地面から浮かぶのを感じた。四人の冒険者がソーセージのようにつながり、探検に来た台地の上に浮かぶさまが頭に浮かんだ。この地獄の装置はすさまじい浮力を誇るが、ロープの耐荷重にはさいわい限度があった。鋭い音とともに僕らは地面に折り重なるように落ち、その頭上に長いロープがとぐろを巻いて落ちてきた。よろめきながら立って見上げると、抜けるような青空にはすでに黒い点しか見えない。玄武岩の塊は高々《たかだか》と急上昇していた。

「すばらしい！」懲《こ》りないチャレンジャーは痛めた腕をさすりながら言った。「あらゆる点で満足のいく実験だった。期待を上まわる成功だ。一週間以内に第二号の気球を製作すると約束しよう。それによって帰路の旅の第一段階が安全かつ快適になされるはずだ」

さて、ここまでの出来事は起きた順序で書いてきた。しかしいま僕は下の野営地、すなわちザンボが長らく待機していた場所にもどって、この手記の仕上げをしている。あらゆる困難と危険は過去の夢となり、頭上にそびえる赤い断崖絶壁の上においてきた。予想外の展開だったが、四人とも怪我なく無事に下りてきた。六週間後ないし二カ月後にはロンドンに帰

還できるだろう。この手紙が届いてからそれほど遅れないと思われる。すでに僕らの心と期待は故郷の大都市にむいている。そこでは大きな反響があると確信している。

風向きが変わったのは、チャレンジャーの手づくり気球で危険な実験をした日の夜のことである。台地から脱出したいという希望に理解をしめしてくれているのが、僕らが救出した若いリーダーであることはすでに書いた。彼だけは僕らを無理にこの奇妙な土地に縛りつけることを望んでいない。わかりやすい身ぶり手ぶりで彼はそう説明してくれた。そしてその夜暗くなってからささやかな野営地にやってきて、小さく巻いた樹皮を僕にくれた（いつも僕に親しげなのは年齢が近いせいだろう）。そして真剣な顔で頭上の洞窟群を指さし、秘密の意味で唇《くちびる》に指先をあてて、こそこそと仲間のところへもどっていった。

僕はその樹皮を焚《た》き火のそばへ持っていってみんなと見た。樹皮は一辺一フィート（約三十センチ）ほどで、

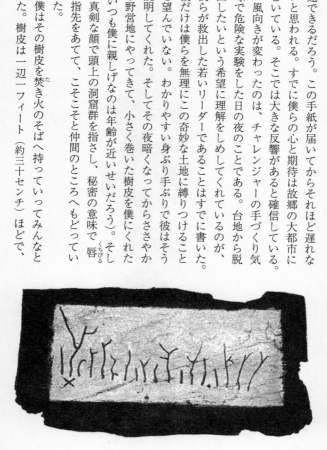

内側には奇妙な線が何本も引かれている。再現するとこんな感じである。

白地に木炭できれいに描かれている。一見して僕は楽譜かなにかかと思った。

「なんであれ重要なものでしょう。これをくれた若者の表情からすると」僕は言った。

「原始的ないたずらかもしれないぞ」サマリーは示唆《しさ》した。「人間において初歩的に発達する要素の一つらしいからな」

「なにかを書きあらわしているのはまちがいない」チャレンジャーは言った。

「まるで一ギニー賞金付のパズル問題だな」ジョン卿は首を伸ばしてのぞきこんでいたが、ふいに手を伸ばしてパズルを手にとった。

「なるほど、わかったぞ！」ジョン卿は声をあげた。「若者の推測が初めて正しかった。これを見ろ。線は何本描かれている？　十八本だ。そして頭上の崖にも洞窟の入り口が十八個ある」

「これを渡すときに彼は洞窟を指さしましたよ」僕は言った。

「するとまちがいない。これは洞窟の地図なんだ。見ろ！　十八本がずらりと並んでいる。あるものは短く、あるものは長い。枝分かれしているのもある。実際に見たとおりだ。これは地図だ。そしてここにバツ印がつけてあるのはなにを意味するのか。この洞窟はほかよりかなり長い」

「貫通しているんだ」僕は声をあげた。

「若い友人は謎を解いたようだな」チャレンジャーが言った。「われわれに好意的なあの若者がわざわざこの洞窟に注意をうながしているのだから、貫通していると考えるべきだ。洞窟が貫通し、反対側のおなじ高さに出口があるとしたら、高低差は百フィート（約三十メートル）以下のはずだ」

「まだ百フィートだ！」サマリーはうめいた。

「でも登攀《とうはん》用のロープは百フィート以上の長さがあります。下りられますよ」僕は声をあげた。

「洞窟にはインディオがいるだろう」サマリーは指摘した。

「頭上の洞窟にはどれもインディオはいません。納屋《なや》や倉庫として使われているだけです。どうですか、いまから行って偵察してみませんか？」

この台地には乾燥した瀝青《れきせい》をふくむ木が生えている。植物学に詳しいサマリーによるとナンヨウスギの一種とのことで、インディオは松明《たいまつ》に利用している。僕らはその束《たば》を一人ずつ持って、図にしるされた洞窟めざして雑草におおわれた階段を上がった。だれもいないという僕の予想どおり、生息しているのは大型のコウモリの群れだけで、奥へ進む僕らの頭のまわりでその翼がしきりにはばたいた。インディオに行動を気づかれたくないので、暗闇を手探りしながら進み、角《かど》を何度か曲がってかなり奥まではいったところで、ようやく松明に火をつけた。乾いた美しいトンネルである。灰色の滑《なめ》らかな壁には原住民のさまざまな図が描かれ、天井は湾曲し、足下は白砂《はくさ》でおおわれている。ぐんぐん進んでいったが、やがて失望のうめき声とともに足を止めた。つきあたったのは垂直な岩壁で、鼠一匹這《は》い出るすきまもない。これでは脱出できない。

予想外の行き止まりに落胆して立ちつくした。登りのトンネルとちがって地震による崩落ではない。昔からの袋小路《ふくろこうじ》である。

「大丈夫だ、友人たちよ。吾輩の気球という確実な希望がまだある」不屈のチャレンジャーが言った。

サマリーはうめいた。

「洞窟をまちがえたのかな?」僕は言った。

「そんなはずはない、若者よ」ジョン卿は指先で地図をたどった。「右から十七番目、左から二番目。まちがいなくこの洞窟だ」

その指がしめすしるしをしばらく眺めて、ふいに僕は歓喜の声をあげた。

「わかったぞ! ついてきてください! こっちです!」

松明を手に洞窟を引き返した。

「ここだ」地面に落ちたマッチをしめした。「ここで松明に火をともしましたね」

「そのとおりだ」

「この洞窟は分かれ道がある。松明をともすまえに暗闇のなかで分岐点を通過してしまった

んです。出口にむかって右側に長い枝道への入り口があるはずです」

そのとおりだった。三十ヤード（約二十七メートル）ももどらないうちに壁に大きな黒い穴があらわれた。そちらへ曲がると、これまでよりずっと広い通路が続いていた。期待に息をはずませ、急ぎ足で数百ヤード進む。ふいに前方の通路の奥の闇に赤黒い光が見えた。みんな驚いて凝視した。まるで一定に燃える炎の板が通路を横切り、行く手をさえぎっているのかのようだ。そちらへ足を速めた。音も熱も動きもつたわってこない。ただ光のカーテンが前方で輝いている。洞窟を銀色に輝かせ、足下の砂を宝石の粉のようにきらめかせる。さらに近づくと、丸い輪郭が見えてきた。

「月だ、やったぞ！」ジョン卿が声をあげた。「抜けたぞ、みんな。外へ抜けたぞ」

断崖絶壁に開いた出口から満月の光がまっすぐさしこんでいるのだった。最後の穴は小さく、窓くらいしかない。しかし僕らの目的には充分である。首を突き出して見下ろすと、崖面はとりたてて下りにくそうではなく、地面は比較的近くに見える。下からこの穴に気づかなかったのは無理もない。断崖の上部が外に張り出してとても登れるように見えないので、あえて注意深く観察しなかったのだ。ロープがあれば下りられるはずだと確認し、大よろこびで野営地にもどった。そして準備しながら次の晩を待った。

準備は手早く、秘密裏にすませた。最終段階でインディオにじゃまされてはたまらないからだ。食料はおいていき、銃と弾薬だけを持つ。チャレンジャーにはぜひとも持っていきたいある大荷物があった。中身は伏せるが、この荷物のせいで多少苦労した。ゆっくりと昼がすぎて夜闇《よやみ》が訪れると、いよいよ出発した。苦労して荷物を階段の上へ運んでから、ふりかえってこの奇妙な土地を最後にあらためて遠望した。このあとすぐに通俗化し、ハンターと山師に踏み荒らされるかもしれないが、僕らにとってはロマンと魅力に満ちた夢の国だった。さまざまな危難に遭遇し、おおいに苦しみ、おおいに学んだ。僕らの国だと、心から呼びたい。左隣の洞窟は赤く楽しげな焚き火の反映を闇に放っている。下の斜面からはインディオの笑い声や歌声が聞こえる。その先は広い森で、中央の闇のなかでほのかにきらめくのは奇怪な恐竜たちが棲《す》む湖。眺めているあいだにも、馬のいななきのようなかん高い鳴き声が闇のむこうから聞こえた。メープルホワイトランドから僕らへの別れの挨拶である。眺めに背をむけ、帰路へ続く洞窟にはいっていった。

二時間後、僕らと荷物と所持品はすべて崖のふもとに下りた。チャレンジャーの大荷物以外は難儀《なんぎ》しなかった。これらをひとまず下りた地点に残して、ザンボの野営地へむかった。早朝にそこに近づいてみると、驚いたことに焚き火は一カ所でなく、平原のあちこちに十数カ所も燃えていた。救助隊が到着していたのである。河畔《かはん》出身の二十人のインディオで、間隙に橋をかけるのに必要な杭《くい》やロープやその他の道具を持ちこんでいた。とにかくこれで荷物運びには苦労しなくなった。明日からはアマゾンへの帰路をたどる予定である。

そんなわけで、心からの感謝の気持ちでこの手記をしめくくりたい。かずかずの驚異を目撃し、かずかずの困難に魂《たましい》を鍛《きた》えられた。四人はそれぞれ成長し、考えを深めた。パラまで出たらしばらく静養するかもしれない。もしそうなら手紙は先に郵送しよう。そうでないなら、僕といっしょにロンドンに到着するはずである。いずれにせよ、マッカードルさん、あなたと握手できる日はもうすぐです。

16 行進だ！ 行進だ！

アマゾンを下る帰路の旅で僕らが受けたすばらしい厚遇《こうぐう》と歓待《かんたい》について、すべての友人への謝意を書きしるしておきたい。とくにペネロサ氏をはじめとするブラジル政府職員の方々には道中特別な手配をしていただいた。またパラのペレイラ氏は手まわしよく衣料品を用意してくださり、おかげで文明世界にふさわしい身なりで町に到着することができた。それだけお世話になりながら、招待者や寄付者をあざむかねばならなかったのは心苦しいことである。しかし状況的にしかたなかった。その場で彼らに申しあげたとおり、僕らの道程をたどろうとする試みは時間と資金の無駄である。この手記ではさまざまな名前を仮名にしている。どれほど注意深く調べても、あの秘密の土地の千マイル（約千六百キロメートル）以内には近づけないと断言できる。

南米でも僕らの通過を熱狂的に見る人々がいたが、ごく地域的な現象だと思っていた。僕らの経験が噂《うわさ》となってヨーロッパ全土で大興奮を巻き起こしているとはつゆほども知らなかったと、イギリスの友人たちには言っておきたい。イベルニア号がサウサンプトンの港まで五百マイル（約八百キロメートル）の範囲にはいると、新聞社という新聞社、通信社という通信社から電報がはいり、具体的な成果についての短文の返信にも高額の報酬を約束してきた。なるほど科学界のみならず世間一般でも注目が高まっているらしいと理解できた。しかしながら、動物学協会の会員に会うまでは報道陣に明確な声明は出さないことを僕らは申しあわせていた。なぜなら派遣調査隊である以上、その費用の支出元である組織にまず第一に報告することが明白な義務だからである。それゆえサウサンプトンに押しよせた報道陣に対して具体的な話をいっさいしなかったのだが、当然ながらそのせいで世間の注目は十一月七日夕と告知された報告会に集まった。会場として動物学協会のホールが手狭にすぎることは、端緒《たんしょ》となった講演会の例ですでにあきらかだ。収容力の点からリージェント街のクイーンズ・ホールが手配されたが、いまから考えれば、主催者は思いきってアルバート・ホールを借りても空席はほとんどできなかっただろうと思われる。

この報告会は帰国翌日の晩に設定された。当日の晩は当然ながら四人それぞれ優先すべき個人的用件があった。僕の場合については伏せておこう。時間がたてば多少なりと冷静に考えたり話したりできるようになるかもしれない。この手記の冒頭で僕の行動のきっかけとなった出来事を読者にしめした。その続きを書いて、結果も披露《ひろう》するのが正しいやり方だろう。そうせざるをえない日がくるかもしれない。いずれにせよ僕は驚異に満ちた冒険に参加した。その原動力となったものにはおおいに感謝している。

それでは、この冒険の掉尾《ちょうび》にして劇的な瞬間を語ることにしよう。とはいえ、これをうまく描写するのは僕の手にあまると思っているときに、弊紙《へいし》の十一月八日付朝刊が目にとまった。そこには友人にして同僚記者のマクドナによる優秀な長文記事が掲載されている。見出しをふくめてこれ以上よい記事は僕には書けない。今回の件で弊紙は特派員を送るという快挙をなし遂げたことから派手な論調になっているが、ほかの主要な日刊紙も大差はない。そこでマクドナの記事を引用させてもらおうと思う。

新世界
クイーンズ・ホールでの大報告会
大興奮の現場
驚くべき出来事
あれはなんだ？
リージェント街、夜の大騒動
（特報）

先史時代の生物が南米大陸に生き残っているというチャレンジャー教授の主張の真偽をたしかめるべく、昨年現地へ送られた調査委員会の報告を聞こうという昨今《さっこん》話題の動物学協会の集《つど》いが、昨夜クイーンズ・ホールの大会場にて開催された。この日付は科学史上において赤丸でかこって記念すべき日になったといってさしつかえない。驚天動地、唖然茫然《あぜんぼうぜん》の内容で、いあわせた全員の記憶に刻まれたであろう《ああ、同僚記者のマクドナよ。なんと大仰《おおぎょう》な書き出しか！》。入場券の頒布《はんぷ》先は会員とその友人までと規定されているはずだが、友人の定義は幅広く、開会時刻の八時よりはるか以前から大ホールはどこもかしこもすし詰めであった。にもかかわらず入場お断りに理不尽な不満をいだく一般大衆は、八時十五分前に各入場口に殺到した。このときの長時間にわたる押しあいへしあいで数人の怪我人が発生し、その一人であるH区のスコブル警部補は不運にも脚を骨折した。不法侵入した入場者は通路を埋めつくしたばかりか報道専用席まではいりこんだ。かくして推定五千人近い聴衆が旅行者の到着をいまかいまかと待ち受けた。やがて姿を見せた彼らの席は舞台前列に用意されていた。まわりの席にはわが国のみならず仏独からも招かれた世界的科学者が顔をそろえている。スウェーデンからはウプサラ大学の高名な動物学者セルジウス博士の姿もあった。四人の主役入場時には大歓迎の嵐となり、全聴衆が立ち上がって数分間にわたって喝采《かっさい》した。しかし耳ざとい観察者ならば喝采中に異議の声を聞きとって、議事進行が決して調和的でなく論争になると予想したであろう。とはいえ実際に起きた驚愕《きようがく》の展開はだれも予見できなかったはずである。

四人の放浪者の外見については新聞各紙で写真を見ない日はしばらくないことから詳述は不要であろう。過酷だったと伝えられる旅の痕跡《こんせき》はそれほど見られない。チャレンジャー教授の髭《ひげ》がさらに伸び、サマリー教授はさらに苦行僧《くぎよう》めいた容貌になり、ジョン・ロクストン卿はさらに頰《ほお》がこけていた。三人ともわが国の港から旅立ったときより濃く日焼けしているが、健康状態はすこぶるよいようすであった。そしてわれらが代表で、国際ラグビー選手としても知られるスポーツマンのE・D・マローンは、ますます鍛《きた》えられた体で聴衆を見まわしながら、快活で満足げな笑みをそのばか正直で不器量な顔に浮かべていた《いいだろう、マック。あとで二人だけで話そうじゃないか!》。

旅人への拍手喝采がおさまって静粛《せいしゆく》がもどり、聴衆が着席したあとは、議長のダーラム公爵が開会の辞を述べた。「今晩の満場の聴衆を期待のご馳走《ちそう》から遠ざけるつもりは毛頭《もうとう》ない。委員会の代表であるサマリー教授が用意している発表内容を知る立場ではないが、今回の調査行が多大な成功をおさめたという噂は人口に膾炙《かいしや》している」(拍手)「ロマンの時代は死なず、小説家の荒唐無稽《こうとうむけい》な夢想と真実を探求する科学者の研究調査にまだ接点があったわけだ。席にもどるまえに一点だけつけ加えておきたい。この四人の紳士が危険で困難な任務を無事に乗りきり、生還したことを聴衆とともによろこびたい。調査行で万一のことがあれば、動

物学にとって回復不能に近い痛手となったはずだ」(大喝采。これにチャレンジャー教授も加わっている)

続いてサマリー教授が起立すると、ふたたび熱狂的な反応が起きた。その熱狂はしばしば講演を中断させるほどであった。講演内容の全編をこの記事におさめることはしない。冒険の詳細はわれらの特派員が存分にペンをふるった出版物としていずれ公刊されるはずだからである。概要のみしるせばここは充分であろう。まず旅の発端について友人たるチャレンジャー教授へ多くの感謝の言葉があり、その主張を疑ったことへの謝罪と、主張は完全に立証された旨《むね》が述べられた。続いて旅の道程が説明されたが、この驚くべき台地の場所を余人《よじん》が特定できる情報は注意深く除かれていた。具体名を伏せつつ、アマゾン本流から逸《そ》れて崖のふもとにたどり着くまでが語られ、その後の崖を上がるための試行錯誤と悪戦苦闘に聴衆は夢中で聴《き》きいった。ついに難関突破に成功したものの、その過程で献身的な混血の使用人二名が犠牲となったことが明かされた(この部分が意外な解釈で語られたのは、報告会でよけいな疑問が呈されないようにサマリーが配慮した結果である)。

聴衆の想像力を崖の上へ導き、橋が落ちたという理由でそこに孤立させた教授は、この驚異の土地の魅力と恐怖を語りはじめた。自身の冒険はごく一部としながら、台地の驚くべき獣《けもの》、鳥、昆虫、植物を観察して科学界が豊かで大きな成果を得たことを強調した。とりわけ甲虫目《こうちゅうもく》、蝶目が豊富で、前者は四十六種、後者は九十四種の新種を数週間のうちに確認したという。しかし一般大衆の興味が集中するのは大型動物、それも太古に絶滅したはずのきわめて大型の動物についてである。これについて教授があげた種名は長いリストになったが、この土地が完全に調査されたあかつきにはさらに膨大《ぼうだい》になることは疑いない。教授と仲間はこのような動物を十種以上目撃した。多くは距離をおいてだったが、科学界には知られていないものばかりだという。これらはいずれ分類調査されるであろう。教授が例として挙《あ》げたのは、まず蛇《へび》である。脱皮した抜け殻《がら》は深い紫を呈し、長さ五十一フィート（約十六メートル）におよんだ。次は哺乳類《ほにゅうるい》とおぼしき白い獣で、闇夜《やみよ》に目立つ燐光《りんこう》を放ったという。大型の黒い蛾は、インディオによれば嚙《か》まれると強い毒性があるらしい。このような完全新種の生物のほかにも、先史時代の動物として知られる種《しゅ》も豊富であり、その一部はジュラ紀初期までさかのぼる。ここで言及された巨大でグロテスクなステゴサウルスは、この未知の世界に最初に進入したアメリカ人冒険家のスケッチブックに描かれていたほか、マローン氏によって湖で水を飲んでいるところも目撃された。台地で最初に遭遇した驚異の生物として、イグアノドンとプテロダクティルスが説明された。さらに恐怖の肉食恐竜の説明がなされ、聴衆はスリルに酔った。調査隊員は一度ならず追いかけられ、遭遇した生物のなかでもっとも恐ろしかったという。続いて巨大で凶暴な走鳥《そうちょう》のフォルスラコスや、いまもその高地を駆ける巨大なヘラジカに言及した。聴衆の熱気と興味が最高潮に達したのは、謎めいた中央湖に話がおよんだときである。この常識的で現実的な教授が、その冷静かつ厳格な口調でもって、この不思議な湖水に化け物めいた三眼《さんがん》の魚竜や巨大な水蛇が棲《す》んでいると話したときは、聞く者は頬をつねって夢ならざることをたしかめただろう。そのあとは台地のインディオや、猿人《えんじん》の驚くべき集落について話された。とりわけ後者はジャワ島のピテカントロプスより進化しており、過去に発見されたどんな種よりも仮説上のミッシングリンクに近いという。最後は、天才的だが危険きわまりないチャレンジャー教授の空飛ぶ発明について軽い笑いをまじえて話し、そのあと調査委員会が文明側への帰還を果たした方法についての印象的な説明で締めくくられた。

議事はそこで終了が期待されていた。ウプサラ大学のセルジウス教授より感謝と祝福の動議が出され、これに賛成意見が表された。しかしすべてが順調とは運ばなかった。異論の徴候はその晩にときおりあらわれていたが、ここにいたってエディンバラ大学のジェームズ・イリングワース博士がホールの中央にて起立した。博士は決議のまえに動議の修正を求めた。

議長「かまいませんとも。もし修正が必要なら」

イリングワース博士「公爵閣下、ぜひとも修正を」

議長「ではそこで述べてください」

サマリー教授（すっくと立ち上がって）「説明させていただきたい、公爵閣下。この男はバシビウスの正体について季刊科学誌上で論争したときからのわしの個人的論敵なのです」

議長「個人的な話には立ちいるつもりはない。どうぞ先を」

イリングワース博士の意見表明は、調査隊の支持者たちによる猛烈な非難の声にかき消されて少々聞きとりにくかった。力ずくで椅子に引きもどそうと試みる者までいた。しかし偉《い》丈夫《じょうふ》で声に力がある博士は、野次《やじ》と喧噪《けんそう》を圧して最後まで話した。博士が起立したときから会場にその支持者と友人がいることがわかったが、あくまで少数にとどまった。聴衆の大多数は中立でご意見拝聴《はいちょう》という態度であった。

イリングワース博士はまずチャレンジャー教授とサマリー教授の科学的業績を高く評価するところからはじめた。自分の意見はひとえに科学的真実を追究する望みからであり、個人的偏見と解釈されるのは心外であると釘《くぎ》を刺した。博士の立場は前回の会議におけるサマリー教授のそれとおおむねおなじであるという。その会議ではチャレンジャー教授がある主張をし、そこに同僚から異議を唱えられた。ところがその同僚が今回はおなじ主張をし、異議を出されずに通ると思っているのか？（「そうだ」との声と「ちがう」との声が交錯《こうさく》してしばし中断する。この間にチャレンジャー教授が議長に対して、イリングワース博士を表《おもて》に連れ出す許可を求める声が報道席まで漏れ聞こえた）一年前には一人がなにやら主張していたが、今度は四人がもっとおかしなことを言っている。ことは革命的かつ信じがたい内容であるのに、これだけで最終的な証拠とみなすのか。最近は未知の土地から帰還した旅行者の話を検証もせず鵜呑《うの》みにする風潮がある。ロンドン動物学協会もそのような愚《ぐ》を犯すのか？

調査隊のメンバーはそれぞれ立派な人物だが、人間とは複雑な生き物である。大学教授といえども名誉欲から道を誤ることがある。蛾とおなじく人もまた光のほうへ飛ぼうとする。大型獣ハンターはつねにライバルの成果を上まわろうとする。新聞記者は扇情的《せんじょう》なスクープ欲からのがれがたく、事実を想像でおぎなうこともやむなしとしがちである（「失礼だぞ！」と野次）。悪気《わるぎ》で言っているのではないと博士はいう（「嘘つけ！」とまた野次）。この奇想天外な話の証拠が、とぼしい口頭の説明だけとは遺憾《いかん》である。では、なんであれば証拠になるだろう。写真か？　巧妙な偽造が可能なこの時代に写真がどれほどの証拠価値を持つだろう。ほかにないのか。最後の逃亡はロープづたいに下りたとのことで、大型の標本がない言い訳になっている。巧妙だが説得力に欠ける。ジョン・ロクストン卿はフォルスラコスの頭部を切り取ったと説明されたはずである。ならば見せてもらいたい、その頭蓋骨を。

ジョン・ロクストン卿「わたしを嘘つき呼ばわりするのか？」（騒ぐ声）

議長「静粛に！　静粛に！　イリングワース博士、お早く結論を述べて修正案を提出してもらいたい」

イリングワース博士「閣下、まだ申しあげたいことはありますが、ご采配《さいはい》にしたがいましょう。サマリー教授の興味深い講演には感謝しつつも、本件全体については〝証拠なし〟とみなし、より大規模で信頼がおけそうな調査委員会を再度送るという修正案を提出いたします」

この修正案が惹《ひ》き起こした混乱は筆舌《ひつぜつ》につくせぬものがあった。聴衆の大部分は探検家への中傷に憤慨し、不同意の怒号《どごう》とともに「却下だ！」「取り下げろ！」「つまみ出せ！」と叫ぶ。対して批判派もそれなりの数がいると見え、修正案に拍手を送りつつ、「静粛に！」「着席しろ！」「公正に！」と叫ぶ。後方の席では乱闘がはじまり、そのあたりに陣取っていた医学生のあいだで拳《こぶし》が飛びかう。ご婦人方が比較的多く来場していたことが中和剤となって完全な暴動になることを防いでいた。その騒ぎが突然静まり、完全な沈黙におおわれた。チャレンジャー教授が立ち上がったのである。その姿と態度は不思議に人目《ひとめ》を惹く。静粛を求めて片手を挙げているのを見て、聴衆はその発言を聞こうと着席していった。

「前回の会議で吾輩《わがはい》が聴衆に話したさいにも、同様の陋劣《ろうれつ》なふるまいが展開されたことを、ご出席の方々の多くが憶《おぼ》えておいでと思う」チャレンジャー教授は話した。「そのときはサマリー教授が主たる反論者であった。その彼はいま粛然《しゅくぜん》として考えをあらためているが、当時の騒ぎは記憶から去っていない。そして今夜も同様でより攻撃的な意見が、いましがた着席された人物から呈された。その精神レベルを考えればあえて出しゃばらぬ努力が必要なところであるが、万人の頭に浮かぶであろう理にかなった疑問を払拭《ふっしょく》するために、ここは出しゃばることにした」（笑いと野次）「今夜は調査委員会の代表としてサマリー教授に話してもらったが、この調査行を実質的に指揮したのはいうまでもなく吾輩である。今回のあらゆる成果は主として吾輩の手柄にほかならない。この三人を問題の場所へ導き、さきほどの講演のごとく、吾輩の説明が正しいことを認めさせたのである。この共同的結論にケチをつける愚昧《ぐまい》な輩《やから》はよもやおるまいと思ったが、前回の経験を教訓として、常識人を納得させられる証拠を多少なりとたずさえてきた。サマリー教授の説明どおり、調査隊のカメラは野営地を猿人に荒らされたときにいじられ、ネガのほとんどは破壊された」（野次と笑い。「また言い訳か！」と後方から声）「猿人といえば、いま耳に届いた声の一部はあの興味深い生き物の習性を鮮明に思い出させる響きである」（笑い声）「多くの貴重なネガが失われたとはいえ、それでも台地の生物の姿を映して補強証拠となる写真は一定数残っている。このような写真も偽造と難じるのか？」（「そうだ」という声に続いて相当の野次が飛び、はては数人が会場外へつまみ出された）「ネガは専門家に自由に検証していただくつもりである。ほかに証拠はないか？　脱出時の状況から残念ながら大荷物は運び出せなかったが、サマリー教授が採集した蝶や甲虫のコレクションは無事で、そこには多くの新種もふくまれている。これも証拠にならんというのか？」（「だめだ」という複数の声）「だめだと言ったのはだれだ？」

イリングワース博士（起立して）「そのようなコレクションは先史時代の台地でなくとも、ほかの場所で採集可能とわれわれは指摘しているのだ」（拍手）

チャレンジャー教授「博士の科学的権威には敬意を表したいと思う。お名前は寡聞《かぶん》にして存じ上げないが。では写真も昆虫コレクションも脇において、これまであきらかにされたことのない各種の具体的な情報をお目にかけよう。たとえば飼い慣らされたプテロダクテイルスの習性について――」（「ばかを言え」という野次と怒号）「――飼い慣らされたプテロダクティルスの習性に光をあてることができると言っているのだ。生きたプテロダクティルスの写真を資料集から出して見せることもできるが、そうすれば納得するかね？」
イリングワース博士「写真では証拠にならない」
チャレンジャー教授「実物を見たいと？」
イリングワース博士「もちろんだ」
チャレンジャー教授「それなら納得するか？」
イリングワース博士（笑いながら）「まちがいなく」
この晩最大の驚異が現出したのはこのときである。科学的催《もよお》しの歴史においてかつてない劇的な騒動だった。チャレンジャー教授が片手を挙げて合図をした。それを見たわれらが同僚のE・D・マローン氏が立ち上がり、舞台袖《そで》へ消えた。すぐにふたたびあらわれたときには、大柄な黒人をともなっていた。二人は大きな四角い荷箱を運んできた。いかにも重そうなそれは慎重に運ばれ、教授の椅子のまえにおかれた。聴衆はしんと静まり、舞台のようすを固唾《かたず》をのんで見守る。チャレンジャー教授はスライド式の蓋を開けて、箱のなかをのぞきこみ、何度か指を鳴らした。「さあ、おいで、おいで！」と呼びかける声が報道席では聞こえた。するとすぐに箱を引っかき、叩く音とともに、きわめて醜悪《しゅうあく》で恐ろしい姿の生き物が出てきて箱の縁にとまった。このときダーラム公爵がオーケストラボックスに誤って転落したのだが、満場の客席の視線がその注視の対象から揺らぐことはなかった。その生き物の顔はいかなる中世の建築家の想像力もつくりえない凶悪なガーゴイルのようだった。真っ赤な小さい目を燃える石炭のように輝かせた悪意と恐怖の塊《かたまり》である。長く残忍な口は半開きになり、サメに似た二列の歯並びをのぞかせている。肩を丸め、色褪《あ》せた灰色のショールで体を包んだように見える。子ども心に想像する悪魔の姿そのものである。客席は阿鼻叫喚《あびきょうかん》の大騒動になった。悲鳴が上がり、前列では二人のご婦人が席で卒倒した。舞台の人々も逃げまどい、議長にならってオーケストラボックスへ飛びこんだ。会場全体がパニック寸前であった。チャレンジャー教授は騒ぎをおさめようと両手をふりまわした。しかしその動きに驚いたのがかたわらの生き物である。奇妙なショールを突如開くや、二枚の飛膜《ひまく》ではばたいた。飼い主の教授が脚をつかもうとするもまにあわず、箱の縁から舞い上がると、翼長十フィート（約三メートル）の乾いた飛膜を使ってクイーンズ・ホールのなかを悠然《ゆうぜん》と旋回しはじめた。たちまち腐敗臭と悪臭が充満する。二階席の人々は光る目と凶暴な嘴《くちばし》が近づくたびに恐れて叫び、その騒動がますます生き物を興奮させた。飛行速度が上がり、壁やシャンデリアに衝突し、輪をかけて興奮状態になる。「窓を！　だれか窓を閉めろ！」と教授があわてたようすで舞台で跳《と》びはね、手を振って怒鳴る。ああ、しかし遅かった！　まるでガス灯《とう》の火屋《ほや》にはいりこんだ大きな蛾のように壁ぞいに何度もぶつかりながら飛んでいた生き物は、開いた窓に達すると、その不気味な体をもぐりこませて通り抜け、飛び去った。チャレンジ

ャー教授は顔を両手にうずめて椅子にすわりこむ。聴衆は騒ぎが終わったことを認識して長い安堵《あんど》の吐息をついた。
しかし――ああ、そのあとの騒動をどう表現すればよいだろうか――大多数の大歓喜とごく少数の大反発があわさって大興奮の大波となり、会場後方からかさを増しつつ前方に押しよせ、オーケストラボックスを呑《の》みこみ、舞台に上がって四人の英雄をその頂点に押し上げた《ありがとう、マック》。これまで客席の態度が正当でなかったとしても、このとき充分に埋めあわせをしていた。全員が立ち上がり、動いて叫んで全身で表現していた。歓声をあげる大群衆に四人はかこまれた。「かつげ！　かつげ！」無数の声が叫ぶ。たちまち四人は群衆の頭上にかつぎ上げられた。抵抗しても無駄である。名誉ある高みにかかげられている。立錐《りっすい》の余地なき人波《ひとなみ》で下りたくても下りられない。「リージェント街へ！　リージェント街へ！」声が響く。押しあう群衆は渦を巻き、やがて流れはじめて、四人をかついだまま出口へむかった。外はさらに大変な光景だった。十万人はくだらない群衆が待ち受けていたのである。ぎっしりと集まった人ごみはランガム・ホテルからオックスフォード・サーカスまで続く。かつぎ上げられた四人の冒険家が燦然《さんぜん》たる電灯の下にあらわれると歓呼《かんこ》の声が響き渡る。「行進だ！　行進だ！」と叫ぶ声。密集陣形は道路を端から端まで埋めつくし、リージェント街、ペルメル街、セントジェームズ街、ピカデリーと進む。ロンドン中心街の交通は麻痺《まひ》し、いたるところでデモ隊対警察およびタクシー運転手の衝突が起きたと伝えられる。

四人の冒険家がオルバニーにあるジョン・ロクストン卿の部屋のまえで解放されたのは深夜をまわってからであった。大興奮の群衆は〈彼らはとてもいいやつだ〉を合唱し、最後を〈国王陛下万歳〉で締めた。こうしてかつてないロンドンの興奮の夜は幕を閉じたのである。

以上が友人マクドナによる記述である。多少の誇張はあれど充分正確に状況を写しているといえる。その最大の出来事は、聴衆にとって驚天動地だったにせよ、僕らはとくに驚かなかった。ジョン・ロクストン卿が籠《かご》状の防具にはいっているところに僕が行き会った逸話《いつわ》を読者は憶えておいでだろう。本人の言葉どおり、〝悪魔の幼鳥《ようちょう》〟をつかまえてチャレンジャー教授に進呈したのである。台地から脱出するさいに教授の荷物に難儀《なんぎ》したことも述べた。帰路の旅では悪食《あくじき》の同行者の食欲を満たすために腐った魚を調達する苦労を書いたと思う。僕の記述が控えめだったのは、輸送する荷物についてよけいな詮索《せんさく》をされたくない教授のたっての希望だった。論敵を叩きのめす瞬間まで噂が漏れては困るからだ。

ロンドンのプテロダクティルスのその後についても簡単にふれておこう。いずれも確認はとれていない。まず、クイーンズ・ホールの屋根にとまって悪魔の彫像のように数時間じっとしている姿を、おびえた二人の婦人が目撃している。翌日の夕刊には、王室近衛連隊のマイルズ兵卒《へいそつ》がマールボローハウスの警備任務中に、許可なく持ち場を離れて軍法会議にかけ

られたとある。マイルズ兵卒によれば、ふと顔を上げると月の手前に悪魔の姿が浮かんでおり、ライフルを取り落としてザ・マルを走って逃げたという。この釈明は軍法会議で受けいれられなかったが、今回の件に直接の関係があると思われる。この他に引用できる証言は一件だけで、蘭米《らんべい》航路に就航中の蒸気船フリースラント号の航海日誌によれば、問題の日の翌朝九時にスタート岬《みさき》を右舷四分の一、距離十マイル（約十六キロメートル）に見て航行中、空飛ぶ山羊《やぎ》か巨大コウモリのようなものが南西方向へ顕著《けんちょ》な速度で横切ったという。帰巣《きそう》本能に正しく導かれたとすれば、ヨーロッパ最後のプテロダクティルスは広大な大西洋のどこかで力つきたと思われる。

　次はグラディスの件である（ああ、僕のグラディス）。神秘のグラディス湖は結局、中央湖に改名された。僕にとって不滅の存在ではなくなったからだ。そもそも彼女は性格にきついところがなかったか。僕はその要求に喜々《きき》として応《こた》えながらも、恋人を死地や危地へあっさり送りこむのは少々愛がたりないと感じなかったか。何度も考えては否定したが、本音をいえば、その美しい顔の裏側に利己主義と浮気性《うわきしょう》という二つの影が落ちた魂《たましい》が見えていなかったか。英雄的で華々《はなばな》しい行動を愛するというのは、その高潔《こうけつ》さゆえなのか。あるいはその栄光に労せずあやかりたいだけだったのか。とにかく僕は痛手《いたで》を受けた。しばらくシニカルな気分におちいった。しかしこれを書いているいまは一週間後である。ジョン・ロクストン卿から重大な話も聞いた。つまり、これでよかったのではないかと思っている。

簡潔に述べよう。サウサンプトンには手紙も電報も届かなかった。僕は矢も楯《たて》もたまらずその夜十時頃にストリーサムの小屋敷を訪れた。彼女は生きているのか死んでいるか。笑顔で腕を広げて、その気まぐれな望みに命をかけた男への称賛の言葉をかけてくれると信じてやまなかったのに、いったいどうしたのか。すでに気持ちは天から地へ落とされていたが、充分な理由を聞けばまだ雲の上にもどれると思っていた。庭の小道を急いで通り抜け、扉を叩き、答えるグラディスの声を聞くと、驚くメイドを押しのけてずかずかと居間にはいりこんだ。ピアノ脇の床上スタンドランプのシェードの下、低い長椅子に彼女はいた。三歩で部屋を横切り、その両手をとった。

「グラディス！　グラディス！」僕は声をあげた。

彼女は驚いた顔でこちらを見ていた。以前とはどことなくちがう。目の表情、上目《うわめ》づかいのきついまなざし、結んだ唇《くちびる》が僕の知らないものだった。彼女は両手を引っこめた。

「どういうこと？」

「グラディス！　いったいどうしたんだ？　きみは僕のグラディスだろう？　かわいいグラディス・ハンガートンのはずだ」

「いいえ。わたしはグラディス・ポッツよ。夫を紹介するわ」

僕はまるで道化である。かつて専用席にしていた深い肘《ひじ》掛け椅子に、いまは赤毛の小男がおさまっている。僕は機械的にお辞儀をして握手をした。ひょこひょこと頭を動かし笑顔を貼りつける。

「いまはまだお父様のお許しで同居中なの。新居は準備中よ」グラディスは言う。

「ああ、そうなのか」

「パラへ送った手紙は届かなかったの？」

「いや、受けとっていないね」

「あら、残念！　そこに全部書いたのに」

「いま全部わかったよ」

「あなたのことはなにもかもウィリアムに話したわ。秘密はなしで。とても残念だったけど、あなたにはそれほど深い気持ちはなかったのでしょう？　わたしをおいて地球の反対側へ行ってしまうくらいですもの。気を悪くなさらないで」

「いやいや、大丈夫。もう行くよ」

「飲み物でもいかがですか」小男は言って、さらに自信たっぷりにつけ加えた。「世の中こういうものです。一妻多夫でないかぎりしかたない」まぬけな笑いに送られて僕はドアへむかった。

しかし玄関をくぐりかけたところで、ふいに奇矯な衝動にかられてふりかえり、勝利者となった恋敵に詰め寄った。小男はおどおどと電灯の押しボタンに目をやる。

「質問させていただきたい」僕は言った。

「理にかなった質問なら」

「あなたはなにをやったのですか？　秘密の財宝を探し出したのか。北極か南極をみつけたのか。海賊を刑務所に放りこんだのか。英仏海峡を飛んで渡ったのか。あなたにはいったいどんなロマンの輝きが？　なにを成し遂げたのですか？」

温厚で中身のないみすぼらしい顔に困った表情が浮かんだ。

「それは少々立ちいった質問ではないでしょうか」

「では一つだけ」僕は声を大きくした。「あなたは何者だ？　職業は？」

「弁護士事務所に勤めています。チャンセリー・レーン四十一番地、ジョンソン・アンド・メルベール事務所の助手です」

「ごきげんよう！」僕は去った。打ちのめされた傷心の主人公のように闇のなかを歩いた。悲しみと怒りと笑いが心中で渦巻いた。

もう一つだけ場面を描いて終わりにしよう。昨夜、ジョン・ロクストン卿の部屋で四人集まった。食事のあとは葉巻を楽しみながらなごやかに冒険の思い出話に花を咲かせた。よく見知った顔と姿をまったく異なる場所で見ると不思議な感じがする。チャレンジャーはいつものように慇懃《いんぎん》無礼な笑みで、半眼《はんがん》に開いた狭量《きょうりょう》な目をしている。髭は伸ばし放題で、厚い胸を大きくふくらませてサマリーに自説を述べている。サマリーもまた薄い口髭と灰色の山羊鬚《ひげ》のあいだにいつもの短いブライヤーパイプをくわえ、やせこけた顔を突き出してチャレンジャーの主張に疑問や反論をぶつけている。今夜の招待主は、いかつく鋭い顔のなかの氷河のように青く冷たい瞳をいたずらっぽく快活に輝かせている。そんな仲間の姿を僕はいつまでも忘れないだろう。食事を終え、ピンクの電灯がさまざまな記念品を照らす宝物室に移ると、ジョン・ロクストン卿から重要な話があった。彼は古い葉巻《はまき》箱を戸棚から出してテーブルにおいた。

「もっと早く話すべきだったかもしれない。でも確証がほしかったんですよ。期待だけさせて、あとでだめだったとならないようにね。それが期待ではなく事実に変わりました。プテロダクティルスの繁殖地の沼をみつけたときのことを憶えていますか？　その地面のようすにわたしは注意を惹かれた。お忘れのようなので言いましょう。あそこは火山性の噴出口で、青粘土《あおねんど》がたっぷりたまっていた」

教授たちはうなずいた。

「青粘土がたまった火山性噴出口といえば、思い出される場所が世界にはもう一つだけあります。キンバリーにあるデビアス・ダイヤモンド鉱山ですよ。つまりわたしはダイヤモンドに取り憑《つ》かれた。攻撃的な翼竜から身を守る防具をこしらえ、鋤《すき》で一日泥遊びをしました。その結果がこれです」

葉巻箱を開いて傾けると、二、三十個の粗《あら》い小石がテーブルにころがり出た。大きさは豆《こめ》粒《つぶ》大から栗《くり》の実大までさまざまだ。

「そのとき話せばいいのにと思われるかもしれない。たしかにそうですが、捕らぬ狸《たぬき》の皮算用は避けたかった。大きさもさまざまだし、色や均一性による価値の差もはっきりしない。そこでひとまず持ち帰り、帰国したその足で宝石商のスピンクに寄りました。そしておおかにカットして価値を鑑定してもらった」

今度はポケットから丸薬箱《がんやく》を出して、美しく輝くダイヤモンドを一個取りだした。めったにないほど上質の宝石である。

「その結果がこれです。全部あわせて最低価格二十万ポンドで引きとりたいという申し出でした。もちろんきっちり四等分しましょう。それ以外は認めません。さて、チャレンジャー、五万ポンドであなたはなにをしますか?」

「貴兄《きけい》がどうしても気前よくしたいというなら、吾輩は私設博物館をつくる。長年の夢だったのだ」チャレンジャーは答えた。

「あなたは、サマリー?」

「わしは教職から引退する。そしてできた時間を白亜層《はくあ》化石の最終的な分類作業についやしたい」

「わたしは自分の分け前を投じて、もっと充実した装備の調査隊を編成するつもりです」ジョン・ロクストン卿は言った。「そしてあの台地をもう一度調べたい。さて、若者よ、きみだ。もちろん結婚費用にするのだろうな?」

「それは保留になりました」僕は陰気な笑みで言った。「もしよかったら、僕もいっしょに行かせてください」

ジョン卿は無言だったが、茶色く日焼けした手をテーブルごしに僕にさしだした。

解説

日暮雅通

コナン・ドイルという作家は、どうしても「シャーロック・ホームズの生みの親」として思い出されることが多い。一方、この『失われた世界』が同じドイルの『バスカヴィル家の犬』やジェラール准将ものに匹敵する素晴らしい冒険小説であり、SFというジャンルが確立されていない時代にそのサブジャンルをつくり出した画期的な作品だということは、残念ながら一般読者のあいだにあまり浸透していないようだ。

『失われた世界』が発表された一九一二年当時、知られざる世界を扱った小説はすでにいくつかあった。だが、現実の南米探検によるエピソードを使い、人跡未踏の地やそこで生きる古代生物を生き生きと描写することによって、本作は「ロスト・ワールドもの」と呼ばれるサブジャンルを確立し、多くのフォロワーを生んだのである。

コナン・ドイルは一八五九年に生まれ、一九三〇年に七十一歳で亡くなった。つまり、人生の半分強は十九世紀のヴィクトリア時代、残りは二十世紀のエドワード七世とジョージ五世の時代に過ごしたことになる。本作が月刊誌〈ストランド・マガジン〉に連載され、単行本として刊行されたころは、二十世紀に入ってすでに十年以上が過ぎていたが、ドイルはまだ途切れ途切れにホームズものを書いていた。シリーズの第四短編集『シャーロック・ホームズ最後の挨拶』に収録される七作のうち六作を一九〇八年から一九一三年の六年間で発表し、そのあいだの一九一二年に本作を発表して、チャレンジャー教授シリーズをスタートさせたのだった。チャレンジャー・シリーズは全五作。本作のあとは「毒ガス帯」（中編、一九一三年）、『霧の国』（長編、一九二六年）、「地球の悲鳴」（短編、一九二八年）、「分解機」（短編、一九二九年）の順である。

一九〇六年に妻ルイーズを病気で亡くしたドイルは、同年に歴史冒険小説『ナイジェル卿の冒険』を刊行したが、評判はあまり芳《かんば》しくなかった。その後一九一二年に本作を刊行するまで、長編小説から六年間遠ざかっていたことになる。

遠ざかったのは、小説の評判がよくなかったからというより、実生活の忙しさのためと言ったほうが正しそうだ。たとえば、この一九〇六年から翌一九〇七年にかけてと一九一〇年から一九一二年にかけて、ドイルはジョージ・エイダルジとオスカー・スレイターという二人の男の冤罪《えんざい》を晴らすための活動をしている。政治・社会面では、一九〇六年に二度目の国会議員選挙出馬で落選したほか、一九〇九年には離婚法改革同盟の会長に就任し、コンゴ植民地におけるベルギーの圧制に反対して『コンゴの犯罪』を出版した。私生活の面でも大きな転機であり、一九〇七年には、ルイーズが亡くなる前から交際していたジーン・レッキーと再婚。一九〇九、一九一〇、一九一二年と連続して、三人の子をもうけている。社会的・政治的活動と私生活の両方において、多忙な六年間だったわけだ。

しかしドイルは、一九〇七年の再婚当時すでに、新たな種類の小説を書きたいという意欲をもっていた。その後ふたたび長編小説を書こうと思い立ったとき、〈ストランド〉の編集長だったハーバート・グリーンハウ・スミスに宛てて、次のような手紙を書いた（＊1）。

「私は、シャーロック・ホームズが探偵小説の世界に対して与えたのと同じことを、少年向けの本でやりたいという野望をもっているのです。二つめの成功を勝ち取れるかどうかはわかりませんが、そうなりたいと思っています」

もっとも『失われた世界』は、児童文学として書かれたわけではない。新聞記者エドワード・ダン・マローンを語り手として、けんかっ早くて尊大で偏屈な動物学者の主人公チャレンジャー教授と、彼の学問上のライバルであるサマリー教授、それに有閑《ゆうかん》貴族の冒険家ロクストン卿の四人が南米へ探検に行き、一種のタイムカプセルとなった秘境に生きる古代の生物を発見する冒険物語だ。だが、本書のエピグラフである「なかば大人の少年となかば少年の大人に／ひととき楽しんでもらえれば望外である」を読めば、ドイルがグリーンハウ・スミスに書き送ったことの意味がわかるだろう。

またドイルは、本作を書くにあたって、現実世界の本当にあった話として読んでほしいと思っていた。そのために彼は、歴史小説を書くときと同じように、細かな点まで事実を把握しようとした。外交官のロジャー・ケイスメントと知り合うと、ペルーのゴム業者による原地住民への搾取《さくしゅ》と虐待《ぎゃくたい》を調査しに行く彼に宛てて、一九一〇年八月に手紙を書いた。『失われた世界』のアイデアを彼に教え、「奇怪なことや不思議なことに出会ったら、ぜひ知らせてほしい」と頼んだのだ。それ以外にも、本作に出てくるテーブルマウンテンのモデル候補であるロライマ山に初登頂した植物学者エヴェラード・イム・サーンの講演会に出ているし、もうひとつの候補であるリカルド・フランコ・ヒルズを探検したパーシー・フォーセットからも現地の情報を得ていた。

このケイスメントとフォーセットは、本作の冒険家ジョン・ロクストンのキャラクターをつくる際のモデルになったと言われている。同じく新聞記者のマローンのモデルは、コンゴの圧制を暴露したことが前述の『コンゴの犯罪』の執筆につながったジャーナリスト、エドマンド・モレルだとされる。

では肝心のチャレンジャー教授のモデルは誰かというと、ドイル自身、彼のエディンバラ大学時代の生理学教授、ウィリアム・ラザフォードだと言っている。「息を呑むほどの巨軀《きょく》」で、ずば抜けて大きな頭にアッシリアの牡牛《おうし》のような顔と鬚《ひげ》、「吠えるように低く轟《とどろ》く声」といった、シャーロック・ホームズとは対照的な人物だ。ただ、両者には共通点もある。エキセントリックなキャラクターでありながら、科学的手法を使って謎にアプローチする真実の追究者であり、他人が自分のことをどう言おうといっこうにかまわないという点だ。

また、チャレンジャー教授のモデル候補も、ひとりではない。好戦的な大言壮語の輩《やから》といえば、ドイルの伝記には必ず出てくる友人、ジョージ・ターナヴィン・バッド医師がいて、彼もチャレンジャー教授のキャラクターづくりに一役買ったと言われている。そして、チャレンジャー教授の「まともな面」を代表するモデルが、一九〇七年まで大英自然史博物館の博物学部長を務めたエドウィン・レイ・ランケスターだ。ドイルは彼と親交があり、彼の著書『絶滅した動物たち』（一九〇五年）を参考にしていた。本作の第四章で教授が書架から取り出してきて「これは才能豊かなわが友人、レイ・ランケスターによる素晴らしい論文だ！」と言う本である。

このチャレンジャー教授というキャラクターに対し、ドイルはホームズに対するのとは正反対の愛着心を見せた。前述のように、本当にあった話として読ませたい、つまりは「偽《にせ》のリアリティ」（＊2）をつくり出したいという気持ちが強かったにせよ、ほとんどプラクティカル・ジョークを仕掛けるような乗りで、みずからチャレンジャー教授に扮《ふん》して写真におさまったのだ。

あご髭をかなり長くして、髪の生え際《ぎわ》を額《ひたい》より低くした「人間ゴリラ」とドイルの言う教授の扮装写真や、教授以下四人の探検隊員に扮した集合写真が、〈ストランド〉の挿絵《さしえ》や英国版単行本初版に使われた。集合写真のほうでは、連載時のデザイナーだったイラストレーターのパトリック・フォーブズがひとり二役でロクストンとサマリー教授に変装し、写真家のW・H・ランズフォードがマローン記者に扮したのだった（本書九ページに採録）。

ただ、これだけ「偽のリアリティ」に固執したコナン・ドイルであったが、多くのホームズ作品と同様、小説内ではっきりとした年代を記さなかった。その点については、ロイ・パイロットとアルヴィン・ローディンが、『注釈付き失われた世界』の中で考察している。第十五章でマローンが「二十世紀の円錐《えんすい》形炸裂弾《さくれつだん》」という表現を使っていることと、八月十八日が火曜日という記述があること、ランケスターの著作がすでに刊行されていることから、一九〇三年の出来事だったというのだ（＊3）。

『失われた世界』は〈ストランド〉の一九一二年四月号から十一月号に連載されたあと、同年十月十五日に単行本として刊行された（ご存じのように月刊誌の月号は前倒し）。本書にはその〈ストランド〉版の挿絵《さしえ》が使われている。アメリカでは〈アソシエイテッド・サンデー・マガジンズ〉、つまりアメリカ各地の新聞雑誌が同じ〈サンデー・マガジン〉という名前を使って出していた複数の雑誌に掲載された。ホームズ物語の場合も、アメリカではこうしたシンジケートによる配信が行われていた。

雑誌連載が単行本になる場合、かつては一回の連載分が一章ないし二章分といった、切りのいい終わり方になることが普通だった。ところが『失われた世界』の場合は、雑誌のどこかの回で「クリフハンガー的な」（ハラハラドキドキの）終わりかたをしても、それが章の終わりにならないことがけっこうあった。逆に、雑誌の回の最後に書かれた部分が単行本では削除されたケースもある。たとえば〈ストランド〉十月号の回（十四章の途中から十五章の途中まで）について、キャサリン・クックは次のように指摘している（＊4）。

「『すでに僕らの心と期待は故郷の大都市にむいている。そこでは大きな反響があると確信している』（本書二八六ページ）というのは単行本の十五章後半だが、〈ストランド〉十月号では、次のような続きがあった。『とはいえ、これからどんな冒険が僕らを待ち受けているか、それはわからないのだ。僕の直感は、この冒険の最後の章はまさしく奇妙な、とんでもないものになるだろうと告げている』。つまり、登場人物はほぼ安全な状態にいるが、この先はわからないので、次号をぜひ読まれたい、と言っているわけである」

本作はドイルがまだ存命中の一九二五年に初めて映画化され、一九六〇年にもアーウィン・アレン監督で制作された。一九二五年版は、原作にないポーラ・ホワイトという女性を登場させて南米まで同行させ、マローンと恋愛をさせるという、いかにもハリウッドらしいものだが、ウィリス・オブライエンのストップモーション手法による恐竜の映像は、画期的なものだった。彼はこの技術をのちの映画『キングコング』（一九三三年）に生かして成功をおさめた。

最新のSFXに慣れてしまった現代の観客の目には、いささか古臭く、ぎごちないものに映るかもしれないが、当時の人たちには非常に斬新なものだった。その証拠に、一九二二年に催《もよお》された米マジシャン協会のディナーで、ドイルがこの映画のラッシュ（下見用プリント）をいきなり見せたところ、本物の恐竜の映像だと思い込む者が続出したという。

その後、一九二五年のオリジナルフィルムは紛失したが、今世紀に入って発見されたフィルムと最新技術をもとに修復されたブルーレイ版が、二〇一六年にFlicker Alleyからリリースされた。それを見ると、ＳＦＸの黎明《れいめい》期にいかにすばらしい映像をつくり出していたかがよくわかる。

＊1　日付は不明。トロント公共図書館所蔵。

＊2　"Creating Reality—Conan Doyle's concern to present fiction as fact in The Lost World" by Catherine Cooke (2019)

＊3　*The Annotated Lost World* by Conan Doyle, Roy Pilot and Alvin Rodin (1996)

＊4　Catherine Cooke, 前掲

訳者紹介　1964年生まれ。東京都立大学人文学部英米文学科卒。訳書にヴィンジ『遠き神々の炎』『星の涯の空』、ホールドマン『終わりなき平和』、マーサ・ウェルズ『マーダーボット・ダイアリー』ほか多数。

検印
廃止

失われた世界

2020年7月31日　初版

著　者　アーサー・コナン・ドイル

訳　者　中《なか》　原《はら》　尚《なお》　哉《や》

発行所　（株）東京創元社
代表者　渋谷健太郎

162-0814／東京都新宿区新小川町1-5
電　話　03・3268・8231-営業部
　　　　03・3268・8204-編集部
URL　http://www.tsogen.co.jp
工友会印刷・本間製本

乱丁・落丁本は、ご面倒ですが小社までご送付ください。送料小社負担にてお取替えいたします。

ISBN978-4-488-60805-7　C0197

地球創成期からの謎を秘めた世界

Voyage au centre de la Terre ◆ Jules Verne

地底旅行

ジュール・ヴェルヌ

窪田般彌 訳　創元SF文庫

◆

鉱物学の世界的権威リデンブロック教授は、
16世紀アイスランドの錬金術師が書き残した
謎の古文書の解読に成功した。
それによると、死火山の噴火口から
地球の中心部にまで達する道が通じているという。
教授は勇躍、甥を同道して
地底世界への大冒険旅行に出発するが……。
地球創成期からの謎を秘めた、
人跡未踏の内部世界。
現代SFの父ヴェルヌが、
その驚異的な想像力をもって
縦横に描き出した不滅の傑作。

時間SFの先駆にして最高峰たる表題作

The Time Machine and Other Stories◆H. G. Wells

ウェルズSF傑作集1

タイム・マシン

H・G・ウェルズ

阿部知二 訳　創元SF文庫

◆

推理小説におけるコナン・ドイルと並んで
19世紀末から20世紀初頭に
英国で活躍したウェルズは、
サイエンス・フィクションの巨人である。
現在のSFのテーマとアイデアの基本的なパターンは
大部分が彼の創意になるものといえる。
多彩を極める全作品の中から、
タイムトラベルSFの先駆にして
今もって最高峰たる表題作をはじめ、
「塀についたドア」、「奇跡をおこせる男」、
「水晶の卵」などの著名作を含む
全6編を収録した。